NCS 국가직무능력 표준을 활용한 교재
National Competency Standards

그린자동차실기

섀시편

GoldenBell

| 머리말　**preface** |

깊어가는 가을 아름답게 물든 도봉산과 수락산을 보면서 작년 모습과 변함없이 한해가
또 가는구나! 느끼면서 타고 있는 자동차를 생각하여 봅니다. 자연은 계절적으로 변하지
만 그 모습은 작년과 금년 차이가 별반 없는데 자동차는 점점 똑똑해지고 있습니다. 강
한 힘과 빠른 몸놀림 뿐 아니라 갖가지 전자기들로 인해 맹랑한 짓도 서슴치 않는 재간
둥이가 되고 있는 것이죠. 더더욱 이런 발전은 계속 진행 중에 있습니다.

단순하면서도 기계적이던 자동차에서 첨단기술로 만들어진 현재의 자동차, 또한 미래의
자동차를 정비하여야 하는 기술인들은 고도의 고장진단 능력과 분석력, 정비능력을 필요
로 하고 있습니다. 따라서 자동차 정비기술은 계량화 되고 테스터기를 통하여 자동차의
상태를 눈으로 보면서 정비해야 하는 시각적 정비시대가 왔습니다. 이와 더불어 자동차
정비 국가기술자격시험문제도 단순한 기계정비에서 정비기기를 활용한 데이터 정비, 시
각적 정비로 변화하고 있어서 난이도가 어려울 뿐만 아니라 광범위한 문제가 출제되고
있는 실정입니다.

현 실정을 감안하여 실기시험을 대비하는 수험서도 데이터정비, 시각적 정비에 맞추어
자격증 취득의 지름길을 알려 주어야 함은 물론 현장에서 바로 적용할 수 있는 지도서가
필요함을 절실히 느끼면서 다음과 같은 주안점을 두고 집필하였습니다.

1. 측정작업 동영상을 QR코드에 담아 직접 현장실무와 같은 생동감을 주었
   다.
2. 모든 그림을 컬러로 하여 입체감을 증대하고 시각적 피로감을 줄였으며,
   생생한 실제사진을 함께 첨부하였다.
3. 일반정비뿐만 아니라 실기시험 문제를 선정하여 구성하였다.
4. 이론을 배울 때의 순서로 정리하여 찾아보기 쉽게 구성하였다.

5 실기시험 문제를 이해하는데 도움을 주고자 설명과 더불어 그림과 모의고사 시험장 사진을 많이 첨부하였다.

6 실기시험에 나오는 테스터기는 여러 제작회사의 사용법을 설명하여 어느 시험장에서도 자신감 있게 시험에 응시할 수 있도록 하였다.

끝으로 이 책으로 실기시험을 대비하는 수험생들에게 영광스런 합격이 있기를 바라며 곳곳에 미흡한 점이 있는 것은 차후에 계속 보완하여 나갈 것이다. 이 책을 만들기까지 물심양면으로 도와주신 김길현 사장님과 원고를 다듬느라 고생하신 이상호 부장님, 책 빨리 안 나온다고 독자들로부터 시달리신 우병춘 팀장님, 그리고 골든벨 직원 여러분께 진심으로 감사드린다.

저자 일동

| 차 례 **contents** |

본문의 QR코드(스마트폰에 QR애플리케이션 설치 후)를
스캔하시면 측정작업방법을 동영상으로 볼 수 있습니다.

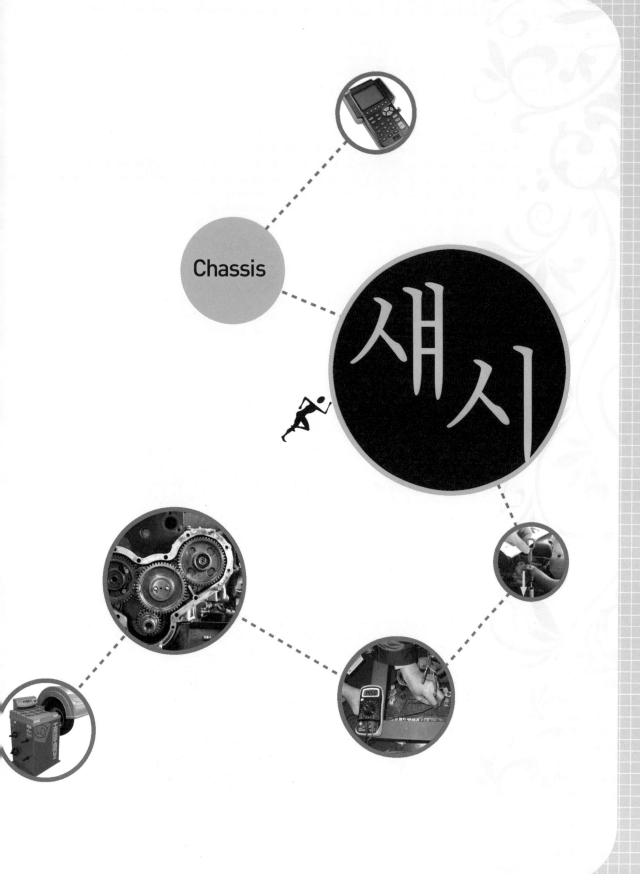

Chassis

섀시

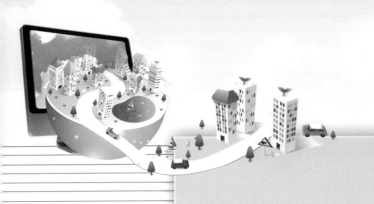

제 1 장

클러치

01 클러치 시스템과 변속상태 점검

1 클러치 시스템의 구성

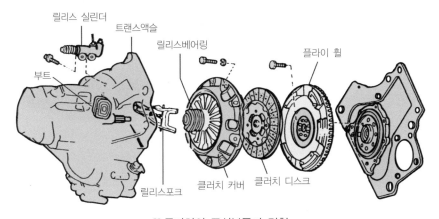

릴리스 실린더
트랜스액슬
릴리스베어링
플라이 휠
부트
릴리스포크
클러치 커버
클러치 디스크

❖ 클러치의 구성부품과 명칭

❖ 세미센트리퓨걸 형식 클러치

❖ 다어어프램 형식 클러치

❷ 수동 변속기 변속방법

① 클러치 페달 및 브레이크 페달을 밟고 시동을 건 후, 1단 기어를 넣는다.

② 브레이크 페달을 밟은 상태에서 클러치 페달을 살짝 놓으면 엔진 회전수(rpm)가 소폭 상승한다.

③ 엔진 회전수 게이지의 상승을 확인한 상태에서 브레이크 페달을 놓고 동시에 액셀러레이터 페달을 조금만 밟으면 차량은 자연스럽게 출발한다.

④ 차량 출발이 완료되면 클러치 페달을 완전히 놓아 준다.

> **TIP** •• **오르막길 정지 후 출발 방법** : 경사가 급한 오르막길 출발 시 파킹 브레이크를 사용하면 보다 안전하게 출발할 수 있다. 사용 요령은 주차 브레이크를 작동시킨 상태에서 수동 변속기 변속방법 1~3번과 동일하게 운전하고 차량이 출발되는 시점에서 주차 브레이크를 해제해 준다.

알아두기 🔍

수동변속기 차량은 전진 5단, 후진 1단으로 구성되어 있다. 클러치 페달을 끝까지 밟은 상태에서 기어변속을 하고, 기어가 들어간 후 클러치 페달을 천천히 놓으면서 주행한다.

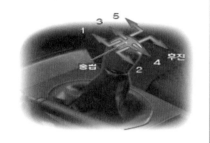

※ 저단변속 : 교통 정체시 또는 오르막길 주행시와 같이 서행해야 할 경우에는 엔진이 손상될 수 있으므로 저단으로 변속한다. 내리막길 주행시의 저단 변속은 엔진 브레이크 작동을 통해 주행 안정속도를 유지해 줄 뿐만 아니라 풋 브레이크를 자주 사용할 필요가 없어 브레이크의 수명을 연장시킬 수 있는 이점이 있다.

※ 주차시 1단 또는 후진기어 : 주차시에는 주차 브레이크를 완전히 작동시킨 후 엔진 시동을 끄십시오. 그리고 경사로 주차시 안전을 위하여 변속 레버를 1단(오르막길 주차시) 또는 후진(내리막길 주차시)에 위치시켜 준다.

❶ 중립 위치 : 엔진 시동시 및 주/정차시 기어 변속레버의 위치이다.

❷ 1단 기어 : 차량 출발시나 큰 견인력 필요시 사용한다. 클러치를 천천히 놓으면서 액셀러레이터 페달을 서서히 밟으면 차량이 출발한다.

❸ 2단 기어 : 저속 주행시 사용한다.

❹ 3단 기어 : 중/저속 주행시 사용한다. 2단 기어에서 3단 기어로 기어 변경을 할 때 5단 기어로 전환되지 않도록 주의한다.

❺ 4단 기어 : 중/고속 주행시 사용한다.

❻ 5단 기어 : 고속도로 주행과 같은 고속주행에 사용한다. 5단 기어에서 4단 기어로 기어를 변경할 때 2단 기어로 전환되지 않도록 주의한다.

❼ 후진 기어 : 후진시 사용한다.

> **TIP** ••• 반 클러치 사용시 주의사항 : 클러치 페달을 반 정도 놓은 상태(반 클러치 상태)가 되면 엔진 파워가 올라감으로써 급격하게 액셀러레이터 페달을 밟을 필요가 없다. 반 클러치 상태에서 액셀러레이터 페달을 지속적으로 많이 사용할 경우 클러치 계통의 슬립으로 내부 구성부품이 마모 또는 손상될 수 있으므로 빈번한 반 클러치 사용은 삼가 해준다.

알아두기

★ 주의사항

① 후진 변속은 차량을 완전히 정지시킨 상태에서, 클러치를 밟고 실시한다.

② 반 클러치를 빈번하게 사용하면 클러치 디스크가 빨리 마모되니 주의한다.

③ 변속할 때 이외에는 클러치 페달에 발을 올려놓지 않는다.

④ 고단에서 저단으로 변속하는 경우, 엔진 회전수가 엔진 회전수 게이지의 적색구간에 들어가지 않도록 주의한다. 특히, 5단에서 4단으로 변속하는 경우 부주의하게 기어 변속레버를 왼쪽으로 밀어 당기면 2단으로 기어가 변환되어 엔진이 급격하게 고 회전 하게 되어, 결과적으로 엔진과 변속기에 손상을 줄 수가 있다.

⑤ 겨울철 기온이 낮을 경우, 변속기 오일 온도가 올라가기 전에는 기어 변속이 어려울 수 있다. 이것은 정상적인 현상이다.

⑥ 1단 또는 후진 기어 변환이 어려운 경우 기어를 중립에 놓고 클러치 페달에서 발을 떼었다가 다시 밟고 1단 또는 후진으로 변속한다.

⑦ 주행 중 기어를 변환할 때 외에는 기어 변속레버에 손을 올려놓고 운전하지 않는다. 이럴 경우 주행 중 기어가 빠질 수가 있으며, 변속기 내부부품의 마모원인이 될 수 있다.

⑧ 한 번에 두 단 이상 고속 기어로 변환하거나 엔진이 고속으로 회전하고 있는 상태에서 저단 기어로 변환하지 않는다.

③ 차종별 변속레버 위치

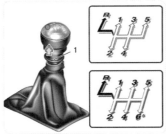

❖ NF 쏘나타

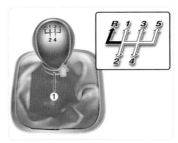

❖ 아반떼(신형)

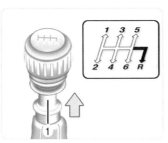

❖ 투스카니

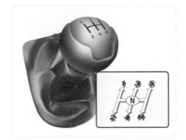

❖ 모닝

4 자동 변속기 변속방법

① 선택레버를 P위치에 놓고 브레이크 페달을 밟은 상태에서 시동을 건다.(선택레버 N위치에서도 시동이 걸리나 안전을 위하여 P위치에서 시동을 건다.)

② 엔진 회전수가 정상범위 (1,000rpm 이하)에 있는지 확인한 후 브레이크 페달을 밟은 상태에서 선택레버를 D(전진) 또는 R(후진)위치에 놓는다.

③ 주차 브레이크를 해제하고 브레이크 페달을 밟은 상태에서 선택레버를 D위치에 놓는다. 출발할 때에는 브레이크 페달을 밟은 상태에서 바로 출발하지 말고 수 초간 대기한 후 출발한다.

④ 브레이크 페달에서 발을 떼어 차량이 서서히 움직이는 것(크립현상)을 확인한 후에 액셀러레이터 페달을 밟아 천천히 출발한다.

모드선택 스위치 ●
- W부위를 누르면 원터치 모드로 전환
- S부위를 누르면 스탠다드 모드로 전환 평상시 스탠다드 모드로 선택하여 주행한다.

선택레버 P고정시 해제 버튼 홀 ●
레버가 P위치에 움직이지 않을 경우에는 이 부분을 펜과 같은 가느다란 물체로 누른 상태에서 선택레버를 움직인다. 이때 안전을 위해 시동을 OFF하고 브레이크 페달을 밟고 선택레버를 이동한다.

변속 가능 기어 단수 조정 ●
선택레버 D위치에서 선택레버를 좌우로 움직이면 변속가능 기어 단수가 조정된다.

P위치에서 다른 위치로 이동하려면 시동 키 ON상태에서 브레이크 페달을 밟아야 이동이 가능하다.

 반드시 브레이크 페달을 밟아야 선택레버 이동가능

 안전을 위해 브레이크 페달을 밟은 상태에서 선택레버를 이동해야 함.

 브레이크 페달을 밟지 않고 선택레버 이동이 가능함.

알아두기

★ 주의사항

① 정차상태에서 선택레버 이동시에는 안전을 위해 반드시 브레이크 페달을 밟는다.

② 선택레버 이동시에는 절대로 액셀러레이터 페달을 밟지 않는다.

③ 경사로에서 정차시에는 반드시 브레이크 페달을 밟는다.

④ 시동시 액셀러레이터 페달을 밟으면 차량이 갑자기 움직여 사고가 발생할 수 있다.

⑤ 엔진 회전수가 높은 상태에서 주차 브레이크를 해제하고 출발할 경우 차량이 갑자기 움직일 수 있으므로 엔진 회전수가 안정될 때까지 기다린 후 출발한다.

⑥ 기계적 손상 및 사고의 위험이 있으므로 주행 도중에는 선택레버를 절대로 P또는 N으로 이동하지 않는다.

⑦ 고속 주행일 때 갑작스런 저단 기어로 변속을 하게 되면 차량 구동 계통에 손상을 줄 수 있고, 또한 주행상태가 불안정하게 되어 사고 위험에 처할 수 있다.

⑧ 선택레버를 D위치로 전환 후 바로 급출발, 급가속 하지 않는다. 출발할 때에는 브레이크 페달을 밟은 상태에서 선택레버를 D위치로 전환하고 나서 변속기 내부 동력 전달이 완료(계기판에 D표시) 되도록 수 초간 대기한 후 브레이크 페달에서 발을 떼어 천천히 출발한다.

⑨ 내리막길이나 경사로 주행시 선택레버를 절대로 N위치에 놓지 않는다. 만약 선택레버를 N위치로 놓은 후 다시 주행을 위해 D위치로 놓으면 변속 충격으로 인해 구동 계통에 손상을 줄 수 있다.

⑩ 차량 시동은 선택레버 위치가 P와 N에 있을 때에만 가능하다. 안전을 위해 반드시 P위치에서만 차량 시동을 건다.

⑪ 차량이 전진하고 있는 상태에서 선택 레버를 R위치로 이동시키지 않는다.

❺ 차상에서 클러치(수동변속기) 탈거 방법

1. 트랜스 액슬(수동변속기) 탈착

① 배터리(-) 터미널을 탈거한다.

② 에어클리너 및 호스를 탈거한다.

③ 후진등 스위치 커넥터를 탈거한다.

④ 클러치 튜브 및 클립을 탈거한다.

⑤ 클러치 릴리즈 실린더를 탈거한다.

⑥ 스피드 미터 케이블을 탈거한다.

⑦ 선택 케이블 및 변속 케이블을 탈거한다.

⑧ 스타터 모터 마운팅 볼트를 탈거한다.

⑨ 특수공구를 사용하여 엔진을 지지한다.

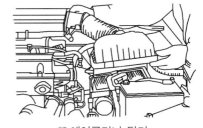
∷ 에어클리너 탈거

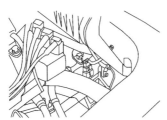
∷ 후진등 커넥터 탈거

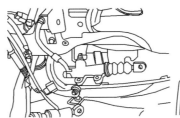
∷ 릴리스 실린더 탈거

∷ 엔진 지지대 설치

⑩ 트랜스 액슬 마운팅 브래킷 및 인슐레이터를 탈거한다.

⑪ 차량을 들어올려 타이어를 탈거한다.

❈ 차량을 들어 올린다

❈ 변속기를 지지

⑫ 드레인 플러그를 푼 후 트랜스 액슬 오일을 배출시킨다.

⑬ 타이로드, 로워암 볼 조인트 및 드라이브 샤프트를 탈거한다.

⑭ 기어 박스 u-조인트 및 리턴 튜브 마운팅 볼트를 탈거한다.

⑮ 프런트 머플러를 탈거한다.

⑯ 서브 프레임 마운팅 볼트를 탈거한다.

⑰ 트랜스 액슬 프런트 및 리어 마운팅 브래킷을 탈거한다.

⑱ 트랜스 액슬 사이드 마운팅 브래킷을 탈거한다.

⑲ 트랜스 액슬을 잭으로 지지하여 탈거한다.

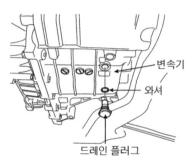

❈ 변속기 오일 배출

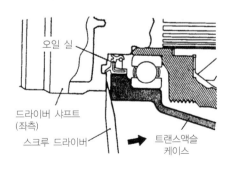

❈ 드라이브 샤프트 탈거 단면도

❈ 드라이브 샤프트 탈거

★ **주의사항**

① 변속기 어셈블리를 지지하면서 들어 올리는 힘이 넓은 부위에 적용되도록 한다.

② 마운팅 브래킷 장착 순서
- 엔진 마운팅 브래킷
- T/M 마운팅 브래킷
- 리어 롤 스톱퍼 마운팅 브래킷
- 프런트 롤 스톱퍼 마운팅 브래킷

▲ 엔진 마운팅 브래킷 장착   ▲ 프런트 롤 스토퍼 장착   ▲ 리어 롤 스토퍼 장착

6 마스터 실린더의 점검 방법

마스터 실린더는 클러치 페달을 밟는 것에 의하여 유압을 발생시켜 릴리스 실린더로 보내주는 것이다.

✱ 마스터 실린더 설치 위치   ✱ 마스터 실린더 리저브 탱크

1. 분해 순서

① 마스터 실린더를 바이스에 고정시킨 후 피스톤 스톱 링을 분리한다. 이때 바이스 고정 시 마스터 실린더의 재질이 알루미늄 합금인 경우에는 구리판이나 합금 등의 보호재질을 사용한다.

② 푸시로드와 피스톤 어셈블리를 빼낸다.

③ 오일 저장탱크 캡을 떼어낸다.

④ 마스터 실린더 보디와 피스톤 어셈블리가 손상되지 않도록 주의한다.

⑤ 피스톤 어셈블리는 분해하지 않는다.

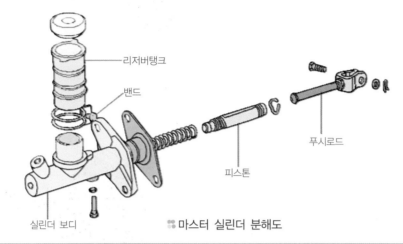

리저버탱크

밴드

푸시로드

피스톤

실린더 보디

📇 마스터 실린더 분해도

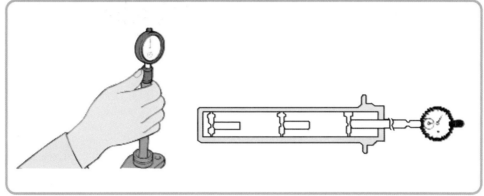

2. 점검 사항

① 실린더와 피스톤 컵의 마모

② 실린더와 피스톤 사이의 간극

③ 실린더 및 피스톤 컵의 손상유무

■ 마스터 실린더와 피스톤 간극

점검 항목 \ 차 종	쏘나타/ 아반떼 XD	엘란트라	아반떼	티 뷰 론
마스터 실린더와 피스톤과의 간극(mm)	0.15(한계값)	0.15(한계값)	0.04~0.125 (한계 0.15)	0.15(한계값)

7 클러치 커버의 점검 방법

1. 탈착 순서

① 트랜스 액슬을 엔진에서 떼어낸다.

② 특수공구를 센터 스플라인에 밀어 넣어 클러치 디스크가 떨어지는 것을 방지한다.

③ 클러치 커버와 플라이휠을 체결하는 볼트를 순차적으로 푼다. 이때 클러치 커버 플랜지가 변형될 우려가 있으므로 1번에 1~2회 정도 푼 다음 클러치 커버와 디스크를 떼어낸다.

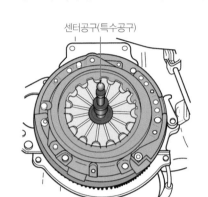
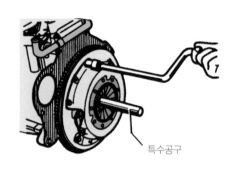

:: 클러치 떼어내기/장착하기

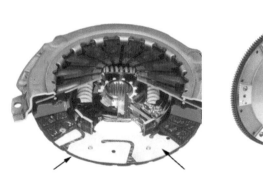

:: 클러치 구성 부품

2. 검사

① 다이어프램 스프링 끝 부분의 마멸, 높이가 불균일하지 않은가를 점검한다.

② 마멸이 크거나 높이의 차이가 정비 한계값 이상인 경우에는 교환한다. 한계값은 0.5mm이다.

③ 압력판 표면의 마멸, 균열, 변색을 점검한다.

④ 스트랩 판 리벳의 풀림을 검사하여 풀렸으면 클러치 커버 어셈블리를 교환한다.

🔹 압력판 점검

🔹 다이어프램 스프링 점검

⑧ 릴리스 베어링의 점검 방법

① 릴리스 베어링은 영구 주유식이므로 깨끗한 헝겊으로 닦는다.

② 베어링의 열 손상, 충격, 비정상적인 소음, 회전 불량 을 점검하고 다이어프램 스프링과의 접촉부위의 마멸 도 점검한다.

③ 릴리스 베어링 칼라를 손으로 스러스트 방향으로 눌러 서 회전시켜 회전이 원활하지 못하거나 이음 발생 등 의 이상이 있으면 교환한다.

🔹 클러치 릴리스 베어링 점검

④ 릴리스 포크와 접촉하는 부분이 비정상적인 마멸이 있으면 베어링을 교환한다.

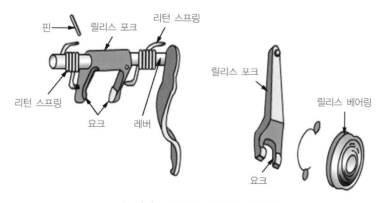

🔹 릴리스 포크 및 릴리스 베어링

⑨ 릴리스 포크의 점검 방법

릴리스 베어링과의 접촉 부분이 비정상적인 마멸이 있으면 교환한다.

⑩ 클러치 페달의 점검 방법

① 페달 샤프트와 부싱의 마모를 점검한다.
② 클러치 페달의 휨과 비틀림을 점검한다.
③ 리턴 스프링의 손상과 약화를 점검한다.
④ 페달의 패드 손상과 마모를 점검한다.

⑪ 이그니션 로크 스위치의 점검 방법

커넥터 터미널 1과 2가 눌렀을 때 OFF/ 놓을 때 ON으로 통전되었는지 점검한다.

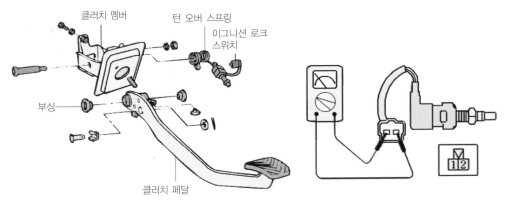

:: 이그니션 로크 스위치 점검

⑫ 클러치 시스템의 고장진단

현 상	가능한 원인	정비
• 클러치가 미끄러진다. • 가속 중 차량의 속도가 엔진 속도와 일치하지 않는다. • 차의 가속이 되지 않는다. • 언덕 주행 중에 출력부족	• 페달의 자유유격이 부족함 • 클러치 디스크 페이싱의 마모가 과도함 • 클러치 디스크 페이싱에 오일이나 그리스가 묻음 • 압력판 혹은 플라이휠이 손상됨 • 압력 스프링이 약화 혹은 손실됨 • 유압장치의 불량	• 조정 • 수리 혹은 필요시 부품교환 • 교환 • 교환 • 교환 • 수리 혹은 교환

현 상		가능한 원인	정비
클러치가 미끄러진다.		• 클러치 디스크가 마모 혹은 손상됨 • 압력판이 불량함 • 디스크 페이싱에 오일이나 그리스가 묻음 • 유압장치의 불량	• 교환 • 클러치 커버 교환 • 교환 • 수리 혹은 교환
클러치가 덜거덕 거린다.		• 클러치 디스크 라이닝의 마모 혹은 오일이 묻음 • 압력판의 결함 • 클러치 다이어프램 스프링의 굽음 • 토숀 스프링의 마모 혹은 파손 • 엔진 장착이 느슨함	• 교환 • 교환 • 교환 • 디스크 교환 • 교환
클러치에서 소음이 발생한다.		• 클러치 페달 부싱의 손상 • 내부 하우징의 느슨함 • 릴리스 베어링의 마모 혹은 오염 • 릴리스 포크 또는 링케이지가 걸림	• 교환 • 수리 • 교환 • 수리
• 기어 변속이 어렵다. (기어 변속시 기어에서 소음이 난다.)		• 페달의 자유유격이 과도함 • 유압 계통에 오일이 누설, 공기가 유입, 혹은 막힘 • 클러치 디스크가 심하게 떨림 • 클러치 디스크 스플라인이 심하게 마모, 부식됨	• 조정 • 수리 혹은 필요시 부품교환 • 교환 • 교환
• 페달이 잘 작동되지 않는다.		• 클러치 페달의 윤활이 불량함 • 클러치 디스크 스플라인의 윤활이 불충분함 • 클러치 릴리스 레버 샤프트의 윤활이 불충분함 • 프런트 베어링 리테이너의 윤활이 불충분함	• 수리 • 수리 • 수리 • 수리
클러치 소음	• 클러치를 사용치 않을 때	• 클러치 페달의 자유유격이 부족함 • 클러치 디스크 페이싱의 마모가 과도함	• 조정 • 교환
	• 클러치가 분리된 후 소음이 들린다.	• 릴리스 베어링이 마모 혹은 손상됨	• 교환
	• 클러치가 분리될 때 소음이 난다.	• 베어링의 섭동부에 그리스가 부족함 • 클러치 어셈블리 혹은 베어링의 장착이 불량함	• 수리 • 수리
	• 클러치를 부분적으로 밟아 차량이 갑자기 주춤거릴 때 소음이 난다.	• 파일럿 부싱이 손상됨	• 교환

현 상	가능한 원인	정비
• 변속이 되지 않거나 변속하기가 힘들다.	• 클러치 페달의 자유유격이 과도함 • 클러치 릴리스 실린더가 불량함 • 디스크의 마모, 런아웃이 과도하고 라이닝이 파손됨 • 입력축의 스플라인 혹은 클러치 디스크가 오염되었거나 깎임 • 클러치 압력판 수리	• 페달의 자유유격을 조정 • 릴리스 실린더 수리 • 수리 혹은 필요 부품교환 • 필요한 부위를 수리 • 클러치 커버 교환

⑬ 변속기 고장진단

현 상	가능한 원인	정비
떨림, 소음	변속기와 엔진 장착이 풀리거나 손상됨	마운트를 조이거나 교환
	샤프트의 엔드 플레이가 부적당함	엔드 플레이 조정
	기어가 손상, 마모	기어 교환
	저질, 혹은 등급이 다른 오일을 사용함	규정된 오일로 교환
	오일 수준이 낮음	오일을 보충
	엔진 공회전 속도가 규정과 일치하지 않음	공회전 속도 조정
오일 누설	오일 씰 혹은 O-링이 파손 혹은 손상됨	오일 실 혹은 O-링 교환
	부적당한 실런트를 사용함	규정 실런트로 재봉함.
기어 변속이 힘들다.	컨트롤 케이블의 고장	컨트롤 게이블 교환
	싱크로나이저 링과 기어콘의 접촉이 불량하거나 마모됨	수리 혹은 교환
	싱크로나이저 스프링이 약화됨	싱크로나이저 스프링 교환
	등급이 다른 오일을 사용함	규정 오일로 교환
기어가 빠진다.	기어 변속 포크가 마모되었거나 포핏트 스프링의 짐	변속 포크 혹은 포핏트 스프링 교환
	싱크로나이저 허브와 슬리브 스플라인 사이의 간극이 너무 큼	싱크로나이저 허브와 슬리브를 교환

02 클러치 페달의 유격 점검

동영상

1 클러치 페달 유격 및 높이 점검

유격(자유간극)이란 릴리스 베어링이 릴리스 레버(또는 다이어프램 스프링의 핑거)에 닿을 때까지 페달이 움직인 거리이며, 클러치의 미끄러짐을 방지하기 위해 둔다. 유격이 틀려지는 원인은 유압계통의 공기유입, 클러치 라이닝의 마모, 마스터 실린더 및 릴리스 실린더 등의 불량이다.

1. 측정 방법

곧은 자를 사용하여 클러치 페달을 손으로 가볍게 눌러 유격을 측정한다.

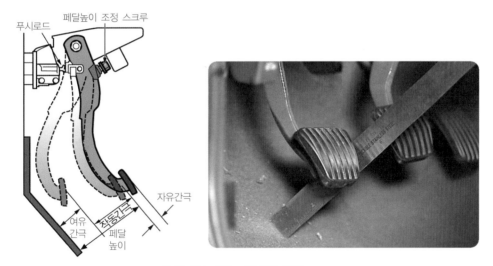

:: 클러치 페달 자유유격 점검

2. 조정 방법

① 유압식

유압식은 유격이 6~13mm정도이며, 마스터실린더의 푸시로드 길이를 가감하여 조정한다. 이때 푸시로드 길이를 길게 하면 유격이 작아지고, 짧게 하면 커진다. 또 페달높이 조정은 페달과 연결된 페달높이 조정나사의 길이를 가감하여 조정한다.

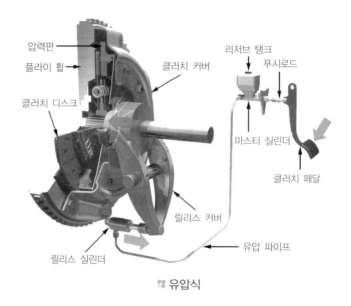

압력판
플라이 휠
클러치 디스크
클러치 커버
리저브 탱크
푸시로드
마스터 실린더
클러치 페달
릴리스 커버
유압 파이프
릴리스 실린더

:: 유압식

② **케이블식** : 케이블식은 유격이 20~30mm정도이며, 엔진룸 쪽에서 케이블 조정 너트를 돌려 조정한다. 이때 조정 너트를 조이면 유격이 작아지고, 풀면 유격이 커진다. 또 페달의 높이 조정은 그림의 페달 높이 조정나사의 로크 너트를 풀고 조정한다.

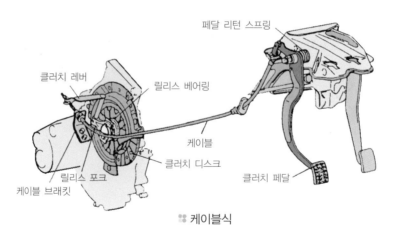

페달 리턴 스프링
클러치 레버
릴리스 베어링
케이블
클러치 디스크
클러치 페달
릴리스 포크
케이블 브래킷

:: 케이블식

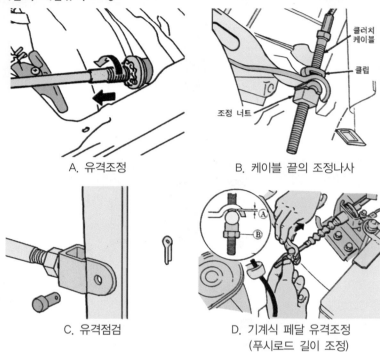

알아두기

★ 케이블식 페달유격 조정

A. 유격조정

B. 케이블 끝의 조정나사

C. 유격점검

D. 기계식 페달 유격조정
(푸시로드 길이 조정)

① 유격이 너무 작을 때 : 클러치가 미끄러지며, 압력판, 플라이 휠 및 클러치 판의 마모 초래, 릴리스
베어링의 마모를 촉진한다.
② 유격이 너무 클 때 : 클러치 페달을 밟았을 때 동력 차단이 잘 안되어 기어 변속시 소음이 나고 원활한
기어 변속이 어렵다.

■ 클러치 페달 자유 간극 차종별 규정값(mm)

차종	페달 높이		자유간극	작동간극	
	가솔린	디젤		가솔린	디젤
아반떼 MD	189.1mm	189.1mm		140±3mm	150±3mm
쏘나타 YF	216mm		6~13mm	145±3mm	
엑센트 RB	173mm		6~13mm	140±3mm	150mm
모닝 TA	157.7mm		15~20mm	140mm	
뉴카렌스 UN	193mm	155mm	6~13mm	145mm	124mm
봉고3 PU	175~180mm		6~13mm	145~150mm	

03 클러치 릴리스 실린더 교환

1 클러치 릴리스 실린더 교환 방법

① 릴리스 실린더와 연결되어 있는 클러치 라인을 탈거한다.

② 릴리스 실린더 고정 볼트를 푼 다음 릴리스 실린더를 탈거한다.

③ 조립은 탈거 순서의 역순으로 한다.

동영상

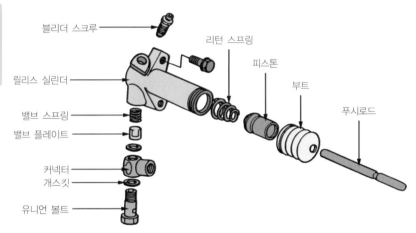

블리더 스크루 · 리턴 스프링 · 피스톤 · 부트 · 푸시로드
릴리스 실린더 · 밸브 스프링 · 밸브 플레이트 · 커넥터 · 개스킷 · 유니언 볼트

❖ 클러치 릴리스 실린더 구성품

❖ 릴리스 실린더 설치 위치

❖ 탈거된 릴리스 실린더

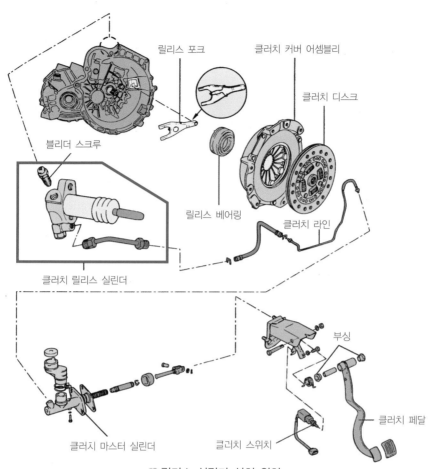

릴리스 포크
클러치 커버 어셈블리
클러치 디스크
블리더 스크루
릴리스 베어링
클러치 라인
클러치 릴리스 실린더
부싱
클러치 페달
클러치 마스터 실린더
클리치 스위치

❄ 릴리스 실린더 설치 위치

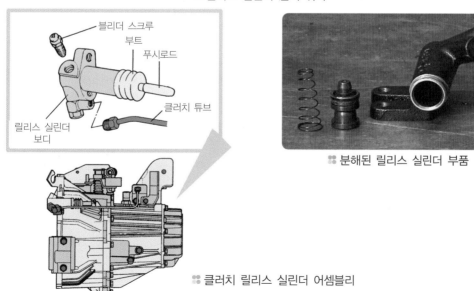

블리더 스크루
부트
푸시로드
클러치 튜브
릴리스 실린더
보디

❄ 분해된 릴리스 실린더 부품

❄ 클러치 릴리스 실린더 어셈블리

27

2 클러치의 작동상태 확인

① 운전석에서 주차 브레이크가 잠겨져있는 상태에서 시동을 건다.

② 클러치 페달을 밟아 기어 변속을 한다. 기어 변속이 가능하다면 정상적인 릴리스 실린
더 교환 작업이 된 것이다. 또 기어를 1단으로 하고 브레이크 페달을 밟은 상태에서 클
러치 페달을 서서히 놓는다. 엔진 시동이 꺼지면 클러치는 정상이다. 최종적으로 볼트
의 설치상태, 오일의 누유 등을 점검한다.

04 클러치 디스크의 점검

1 클러치 디스크의 점검 방법

① 페이싱 리벳 풀림, 불균일 접촉, 고착에 의한 변질, 오일이나 그리스 등이 묻어 있지는
않는가를 점검하고 상태가 불량하면 클러치 디스크를 교환한다.

② 그림과 같이 버니어 캘리퍼스로 리벳 깊이를 측정하여 규정값을 벗어난 경우에는 클러
치 디스크를 교환한다. 한계값은 0.3mm이다.

③ 토션 스프링의 유격, 손상을 점검하여 결함이 있으면 클러치 디스크를 교환한다.

④ 클러치 디스크와 클러치 축을 연결하여 미끄럼 운동 상태와 회전방향에서의 유격을 점
검한다. 이때 미끄럼운동이 원활하지 못하면 세척하여 조립한 후 다시 점검한다. 유격이
너무 크면 클러치 디스크와 클러치 축을 교환한다.

⑤ 릴리스 실린더와 연결되어 있는 클러치 라인을 탈거한다.

⑥ 릴리스 실린더 고정 볼트를 푼 다음 릴리스 실린더를 탈거한다.

⑦ 조립은 탈거 순서의 역순으로 한다.

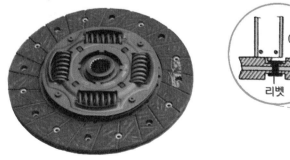
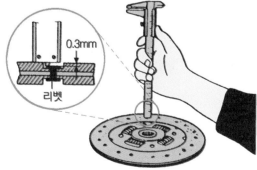

❖ 디스크 리벳 깊이 측정

동영상

05 클러치 라인 공기 빼기 작업

1 클러치 라인의 공기 빼기 방법

클러치 호스나 튜브, 마스터 실린더 및 클러치 릴리스 실린더를 탈거/조립 할 때마다 또는 클러치 페달이 스펀지 현상을 나타낼 때에는 클러치 라인 계통의 공기빼기 작업을 하여야 한다.

① 클러치 마스터 실린더의 오일 탱크에 브레이크 오일을 보충한다.

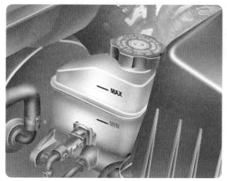

꞉꞉ 클러치 리저버 탱크(아반떼 신형)

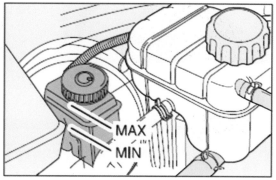

꞉꞉ 클러치 리저버 탱크(라세티)

② 블리더 스크루에 비닐 튜브를 연결하여 오일 용기에 담는다.

③ 운전자와 보조자가 2인 1조로 하여 한 사람을 클러치 페달을 여러 번 밟았다 논 후 페달을 밟은 상태에서 보조자가 블리더 스크루를 푼다.

블리더 스크루

꞉꞉ 블리더 스크루 설치 위치

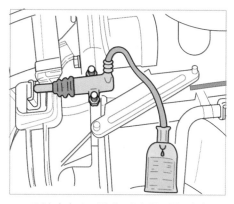

꞉꞉ 블리더 스크루에 비닐 튜브를 연결

④ 기포가 나오지 않을 때까지 ①~③항을 반복한다.

⑤ 클러치 마스터 실린더 오일탱크에 오일량이 규정 높이가 되도록 보충 · 점검한다.

❇ 블리더 스크루 설치 위치

❇ 클러치 오일 보충

알아두기

★ 주의사항

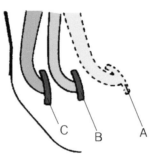

① 에어빼기 작업시 페달은 항상 아래 그림의 "A"지점까지 복원시킨 후 다시 밟아야 하며 급하게 반복 조작해서는 안된다.

② 페달을 그림의 "B"와 "C"구간 사이에서 급하게 반복 조작할 경우 유압 클러치 장치의 특성상 릴리스 실린더의 푸시로드가 밀려 나올 수도 있으므로 주의한다.

② 클러치 오일 보충

❖ 후드 OPEN

❖ 리저브 탱크 위치

❖ 캡 탈거

❖ 클러치 액 보충

제2장

수동 변속기

01 ## 수동 변속기(트랜스 액슬)의 분해조립

1 트랜스 액슬의 구조와 기능

① 엔진의 회전력을 증대시킨다.

② 엔진 기동시 무부하 상태 유지 및 정차시 공회전 상태를 유지시킨다.

③ 자동차를 전·후진시킬 수 있다.

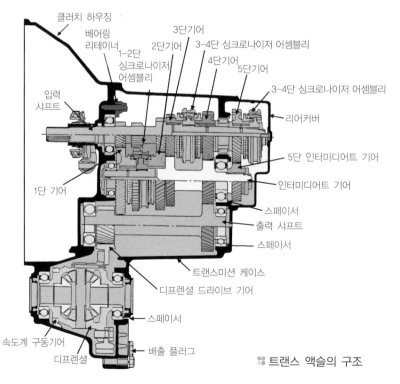

트랜스 액슬의 구조

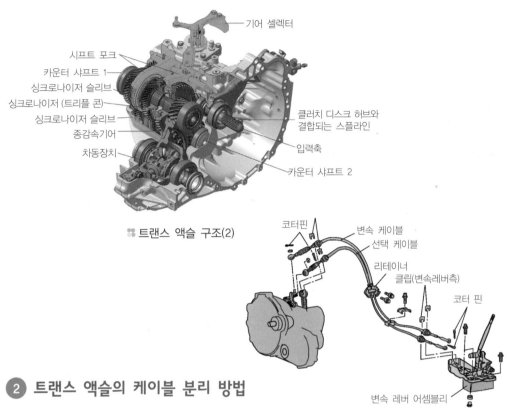

기어 셀렉터

시프트 포크
카운터 샤프트 1
싱크로나이저 슬리브
싱크로나이저 (트리플 콘)
싱크로나이저 슬리브
종감속기어
차동장치

클러치 디스크 허브와
결합되는 스플라인
입력축
카운터 샤프트 2

❈ 트랜스 액슬 구조(2)

코터핀
변속 케이블
선택 케이블
리테이너
클립(변속레버측)
코터 핀

변속 레버 어셈블리

❈ 트랜스 액슬 컨트롤 구성부품

❷ 트랜스 액슬의 케이블 분리 방법

① 콘솔 어셈블리를 분리한다.

② 변속 레버쪽의 코터(분할) 핀과 클립을 분리한다.

③ 변속레버를 분리한다.

④ 리테이너와 볼트를 분리한다.

⑤ 에어 클리너를 분리한다.

⑥ 트랜스 액슬 쪽에서 코터 핀과 클립을 분리한다.

⑦ 변속 케이블과 선택 케이블을 분리한다.

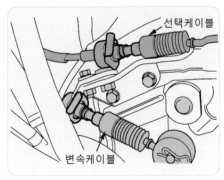

선택케이블

변속케이블

❈ 변속 케이블과 선택 케이블 분리

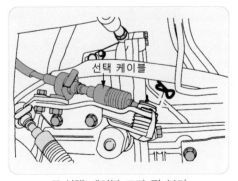

선택 케이블

❈ 선택 케이블 코터 핀 분리

33

③ 트랜스 액슬 어셈블리 분해 순서

1. 리어 하우징, 시프트 포크, 후진장치 및 기어 어셈블리 분해 순서

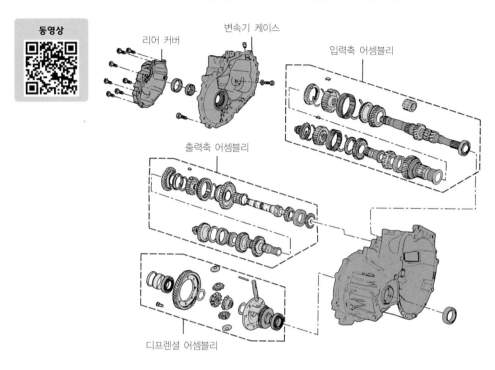

① 리어 하우징 고정 볼트를 풀고 리어 하우징을 분리한다.

⠿ 리어 커버(하우징) 분리 전 모습

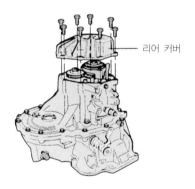

⠿ 리어 커버(하우징) 분리

② 후진등 스위치, 개스킷, 설치 브래킷을 분리한다.
③ 록킹 볼 플러그를 풀고 스프링과 볼을 빼낸다.

④ 속도계 피동기어를 분리한다.

후진등스위치

❇ 후진등 스위치 분리

❇ 속도계 피동기어 분리

⑤ 특수 공구를 사용하여 스프링 핀을 빼낸다.

⑥ 고정 너트를 다음의 순서로 분리한다.

㉮ 입력축과 출력축 고정 너트를 푼다.

㉯ 조절 레버와 선택 레버로 트랜스 액슬을 후진으로 변속한다.

㉰ 특수공구를 입력축에 설치한다.

㉱ 클러치 하우징 둘레에 있는 볼트 구멍에 10mm 볼트를 밀어 넣고 특수공구에 힌지 핸들을 설치한다.

㉲ 힌지 핸들 스톱퍼를 볼트로 사용하여 고정 너트를 푼다.

❇ 리어 커버 분리

❇ 로크 너트 코킹 분리

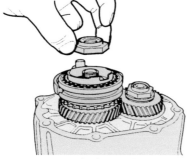

❇ 고정 너트 풀기

❇ 고정 너트 풀기

⑦ 5단 싱크로나이저 슬리브와 시프트 포크를 분리한 다음 허브, 싱크로나이저 링, 5단 기어와 니들 롤러 베어링을 분리한다.

❖ 스프링 핀 설치 위치

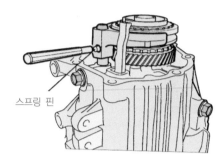

스프링 핀

❖ 스프링 핀 분리

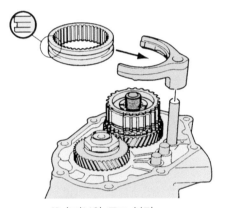

❖ 슬리브와 포크 분리

❖ 슬리브와 포크 분리

⑧ 풀러를 사용하여 출력축 기어를 분리한다.

❖ 허브 및 슬리브 분리

❖ 출력축 기어 및 부축 기어 분리

⑨ 후진 공전 기어축 고정 볼트와 레스트릭 볼을 분리한다.
⑩ 트랜스 액슬 하우징 고정 볼트를 풀고 트랜스 액슬 하우징을 분리한다.

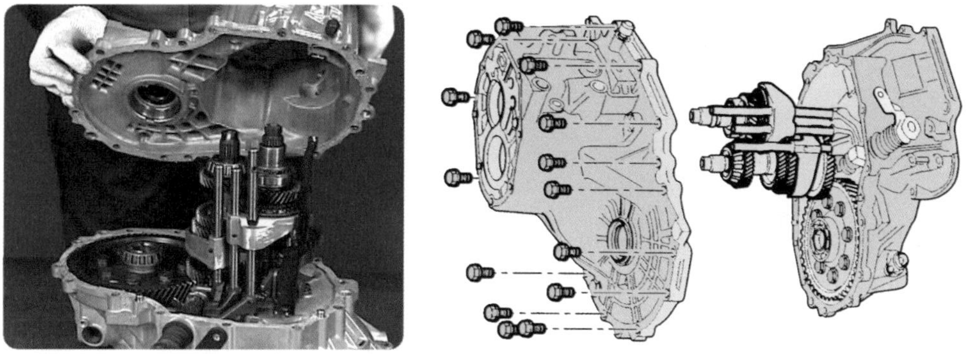

트랜스 액슬 하우징 분리

⑪ 차동장치(디퍼렌셜) 오일실과 오일 가이드를 분리한다.
⑫ 특수공구를 사용하여 출력축 베어링 아웃 레이스와 스페이서를 분리한다.

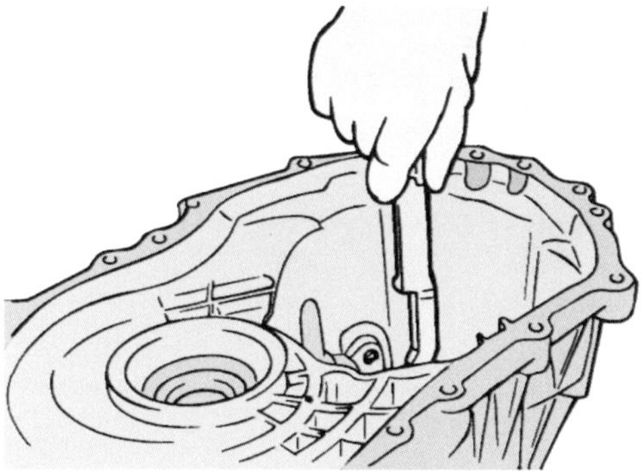

오일 가이드 분리

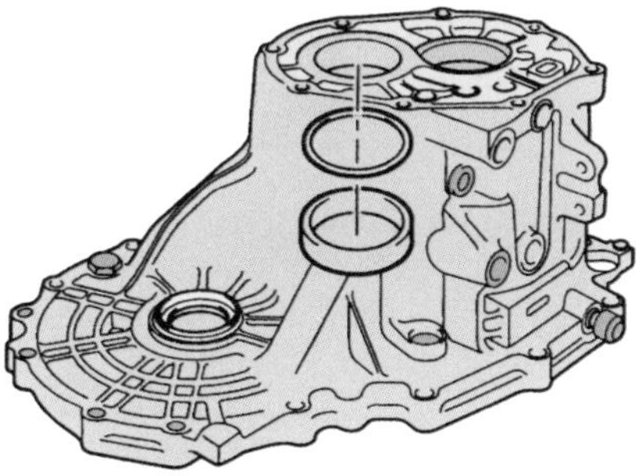

아웃 레이스와 스페이서 분리

⑬ 출력축 베어링 아웃 레이스와 스페이서를 분리한다.
⑭ 차동장치 베어링 아웃 레이스와 스페이서를 분리한다.
⑮ 후진 시프트 레버와 후진 변속 슈를 분리한 다음 후진 기어 축과 후진 기어를 분리한다.

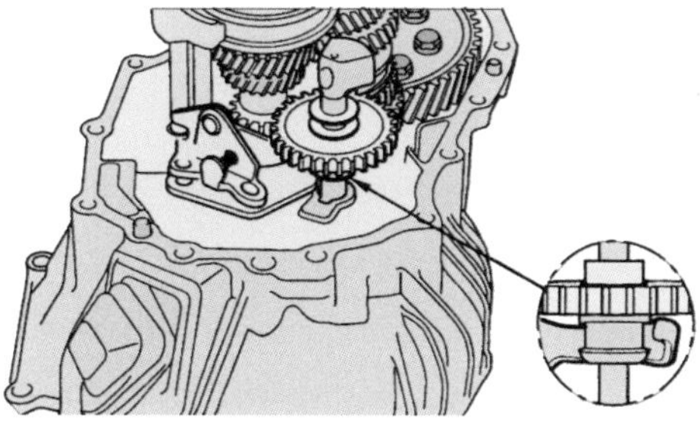

후진 시프트 레버 분리

⑯ 특수공구를 사용하여 스프링 핀을 빼낸다.

:: 후진 시프트 레버 분리

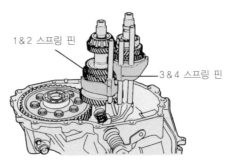

1&2 스프링 핀

3&4 스프링 핀

:: 스프링 핀 분해

:: 스프링 핀 설치 위치

⑰ 시프트 레일과 포크 어셈블리를 아래의
　순서로 분해한다.

　㉮ 1단-2단 시프트 포크를 2단으로 변속
　　한다.

　㉯ 3단-4단 시프트 포크를 4단으로 변
　　속한다.

　㉰ 5단-후진 시프트 레일 쪽으로 선택
　　레버를 밀면서 1단-2단 시프트 레일
　　과 포크 어셈블리를 분리한다.

　㉱ 1단-2단 쪽으로 선택 레버를 완전히
　　밀면서 3단-4단, 5단-후진 시프트 레일과 포크 어셈블리를 분리한다.

1&2 변속레일

1&2 변속포크

:: 변속레일 및 포크 어셈블리 분리

동영상

　　　　　　　　　　　　　　　　　　5&후진
　　　　　　　　　　　　　　　　　　시프트
　　　　　　　　　　　　　　　　　　레일
1&2단 시프트
레일 및 포크
　　　　　　　　　　　　　　　　　　3&4단
　　　　　　　　　　　　　　　　　　시프트 레일
　　　　　　　　　　　　　　　　　　및 포크

❈ 변속레일 및 포크 어셈블리

3 & 4 변속레일　　　5 & 후진
　　　　　　　　　　변속레일

　　　　　　　　　　포크 어셈블리

❈ 변속레일 및 포크 어셈블리 분리

　　　　　　　　입력축 어셈블리

　　　　　　　　출력축 어셈블리

❈ 입력축과 출력축 기어 분리

⑱ 베어링 리테이너를 분리한다.

⑲ 입력축 기어 어셈블리를 들어 올리고 출력축 기어 어셈블리를 분리한다.

⑳ 차동장치 어셈블리를 분리한다.

❈ 종감속 및 차동장치 어셈블리

❈ 차동장치 어셈블리 분리

39

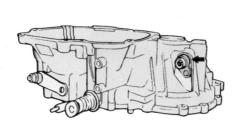

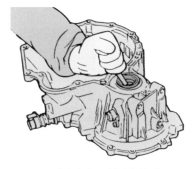

::: 스피드 미터 드리븐 기어 분리   ::: 차동장치 오일 실 분리

㉑ 특수공구를 사용하여 출력축 베어링 아웃 레이스, 스페이서 및 오일 가이드를 분리
   한다.

㉒ 차동장치 베어링, 오일실 및 베어링 아웃 레이스를 분리한다.

㉓ 입력축 오일실을 분리한다.

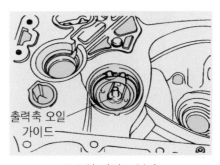

출력축 오일
가이드

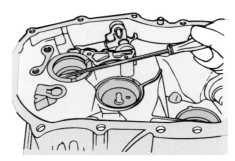

::: 오일 가이드 분리   ::: 오일 실 분리

2. 싱크로나이저 점검 및 조립

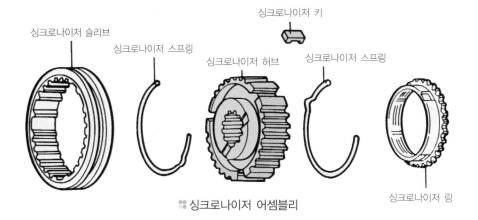

싱크로나이저 슬리브

싱크로나이저 스프링

싱크로나이저 키

싱크로나이저 허브

싱크로나이저 스프링

싱크로나이저 링

::: 싱크로나이저 어셈블리

① **점검**

㉠ 싱크로나이저 슬리브와 허브를 결합 후 부드럽게 작동하는가를 점검한다.

㉡ 슬리브 안쪽 앞부분과 뒤쪽 끝의 손상유무를 점검한다.

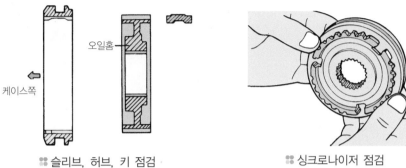

∷ 슬리브, 허브, 키 점검   ∷ 싱크로나이저 점검

㉢ 허브 앞쪽 끝부분(5단 기어와 접촉하는 면)의 마멸 유무를 점검한다.

㉣ 싱크로나이저 키 중앙 돌출부 마멸 유무를 점검한다.

㉤ 스프링의 약화, 변형, 파손 유무를 점검한다.

② **조립**

㉠ 싱크로나이저 허브, 슬리브, 키를 방향에 주의하여 조립한다.

㉡ 싱크로나이저 슬리브의 6군데에는 이빨이 없다. 허브와 슬리브를 설치할 때 기어 이빨이 없는 2곳의 중앙에 싱크로나이저 키가 접촉하도록 한다.

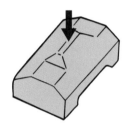

∷ 싱크로나이저 키 점검

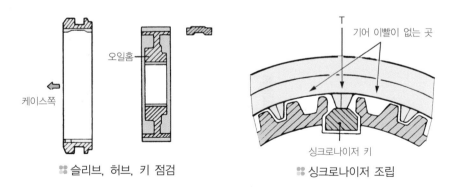

∷ 슬리브, 허브, 키 점검   ∷ 싱크로나이저 조립

41

㉓ 싱크로나이저 스프링의 단층부위가 싱크로나이저 키에 놓이도록 설치하여야 한다. 그리고 싱크로나이저 스프링을 설치할 때 앞쪽 스프링과 뒤쪽 스프링이 같은 방향으로 향하지 않도록 한다.

㉔ 싱크로나이저 링을 기어 쪽으로 밀면서 간극 A를 점검하여 규정값을 벗어난 경우에는 싱크로나이저 링을 교환한다. 규정값은 0.5mm이다.

:: 싱크로나이저 키 조립

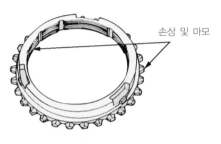

:: 싱크로나이저 점검

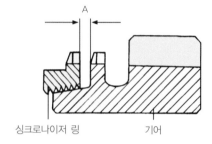

:: 싱크로나이저 링과 기어의 간극 점검

3. 입력축 기어 어셈블리 분해

① 분해

㉠ 입력축을 로크 너트가 위로 향하게 바이스에 물린다.

㉡ 스냅 링 플라이어를 사용하여 앞 베어링의 스냅 링을 탈거한다.

㉢ 특수 공구를 사용하여 프런트 베어링을 탈거한다.

㉣ 4단 기어, 니들 롤러 베어링, 싱크로나이저 링, 3 & 4단 싱크로나이저 슬리브와 니들 롤러 베어링 슬리브, 3 & 4단 싱크로나이저 허브, 싱크로나이저 링, 3단 기어, 니들 롤러 베어링을 특수 공구를 사용하여 탈거한다.

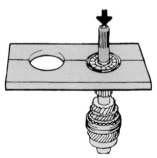

:: 프런트 베어링 탈거

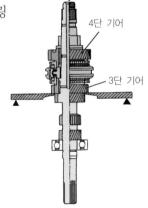

:: 기어 어셈블리 탈거

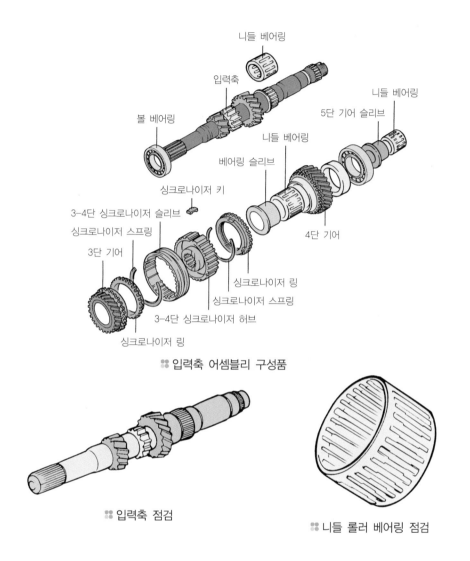

니들 베어링

입력축

니들 베어링

볼 베어링

5단 기어 슬리브

니들 베어링

싱크로나이저 키

베어링 슬리브

3-4단 싱크로나이저 슬리브

싱크로나이저 스프링

3단 기어

4단 기어

싱크로나이저 링

싱크로나이저 스프링

3-4단 싱크로나이저 허브

싱크로나이저 링

❖ 입력축 어셈블리 구성품

❖ 입력축 점검

❖ 니들 롤러 베어링 점검

② **점검**

㉮ 입력축의 스플라인 및 기어의 손상 및 마모를 점검한다.

㉯ 니들 베어링을 입력축 또는 베어링 슬리브에 끼우고 비정상적인 소음 또는 유격이 없이 부드럽게 회전하는지 확인한다.

㉰ 니들 베어링 케이스의 변형을 점검한다.

㉱ 싱크로나이저 링의 클러치 기어 이빨의 손상 및 파손을 점검한다.

㉲ 싱크로나이저 링 내면의 손상, 마모, 나사산의 파손을 점검한다.

손상 및 마모

❖ 싱크로나이저 점검

ⓑ 싱크로나이저 링을 클러치 기어 쪽으로 밀
면서 시크니스 게이지로 간극을 점검하여
한계값을 벗어나면 싱크로나이저 링을 교
환한다.

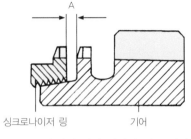

기준값	1.0mm	한계값	0.5mm

싱크로나이저 링   기어

❖ 싱크로나이저 링과 기어의 간극 점검

4. 출력축 기어 어셈블리

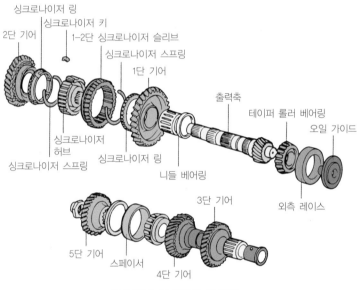

❖ 출력축 어셈블리 구성품

5. 시프트 포크와 레일의 구조

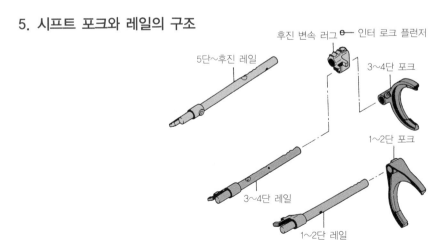

6. 차동장치(디퍼렌셜 : Differential) 분해

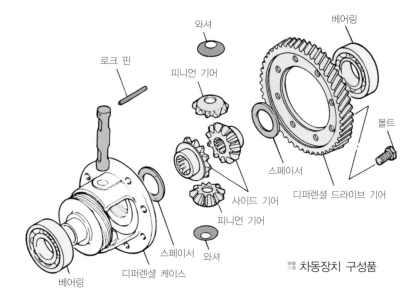

▓ 차동장치 구성품

▓ 링 기어 위치

▓ 사이드 기어와 차동 피니언 기어 위치

① 분해

㉮ 바이스에 디퍼렌셜 케이스를 고정시킨다.

㉯ 디퍼렌셜 드라이브 기어 고정 볼트를 풀고 디퍼렌셜 케이스에서 링 기어를 탈거한다.

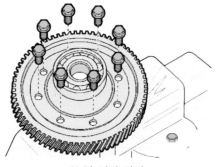

▓ 링 기어 탈거

ⓓ 핀 펀치를 이용하여 피니언 샤프트의 로크 핀을 탈거한다.
ⓔ 디퍼렌셜 케이스에서 피니언 기어 샤프트를 탈거한다.

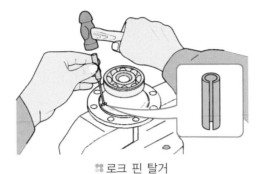

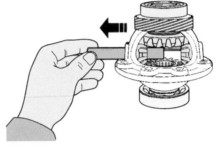

❈ 로크 핀 탈거   ❈ 피니언 샤프트 탈거

ⓕ 피니언 기어 및 사이드 기어를 탈거
한다. 이때 사이드 기어에서 유격 조
정 심을 분리한다.
ⓖ 특수 공구를 사용하여 디퍼렌셜 우측
베어링 및 스피드 미터 드라이브 기
어를 탈거한다.
ⓗ 특수 공구를 사용하여 디퍼렌셜 좌측
베어링을 탈거한다.
ⓘ 조립 순서는 분해 순서의 역순으로
한다.

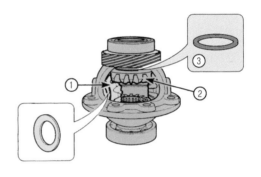

❈ 피니언 및 사이드 기어 탈거

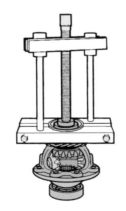

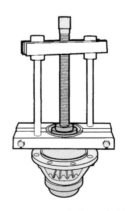

❈ 피니언 및 사이드 기어 탈거   ❈ 베어링 및 스피드 미터 드라이브 기어/베어링 탈거

② **사이드 기어 유격 및 백래시 점검**

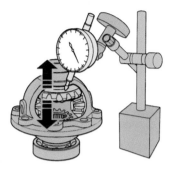

㉮ 사이드 기어의 축방향 유격을 측정하여 기준값 이상이면 조정 심을 선택하여 교환한다.

㉯ 유격 조정 심을 점검하여 긁힘 및 마모 흔적이 있는 경우 교환한다.

㉰ 사이드 기어와 피니언 기어의 백래시를 측정하여 기준값 이상이면 조정 심을 교환한다.

사이드 기어 유격 기준값	0.05~0.33mm
사이드 기어 백래시 기준값	0.025~0.15mm

⁑ 사이드 기어 유격 점검

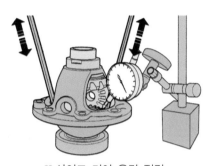

⁑ 사이드 기어 유격 점검

⁑ 사이드 기어 백래시 점검

02 수동 변속기(트랜스 액슬)의 오일량 점검

1 오일량 점검 방법

① 차량을 평탄한 곳에 주차 후 시동을 끈다.

② 주유 플러그 주변에 먼지를 제거하고 플러그를 반시계 방향으로 돌려서 탈거한다.

③ ㄱ자형 철사를 오일 주입구에 넣어 바로 아래 부분까지 오일이 있는지 확인한다. 이때 오일의 변질 및 점도를 점검한다.

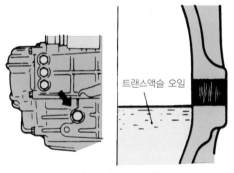

트랜스액슬 오일

⁑ 주유 플러그 위치

알아두기

★ 오일색깔과 오염

① 검은색이면서 매우 끈끈함 : 교환주기가 넘었음.
② 반짝거리는 가루가 보임 : 윤활부족 등으로 베어링이나 기어의 마모로 가루가 썩여 있음.
③ 우유빛이 있음 : 물이 함유 되어 있음.
④ 부족하면 규정오일을 천천히 그 수준까지 주입 한다.
⑤ 주유 플러그를 시계방향으로 돌려 잠근다.(이때 동 와셔는 새것으로 교환한다)

주유 플러그 위치

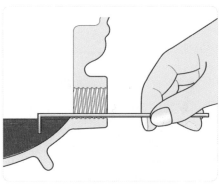

오일량 측정

② 오일 교환 방법

① 케이스 아래에 있는 배출 플러그를 풀어 오일을 배출시킨다.
② 점검 플러그를 빼고 오일 주입기로 플러그 구멍 높이까지 주입한다.(또는 스피드 미터 드리븐 기어 빼고 호스로도 주입한다.)

기어 오일(전륜용)

드레인 플러그

■ 차종별 변속기 오일량

차종	오일량	차종	오일량
아반떼 MD	1.8~1.9 L	K3 YD	1.8~1.9 L
쏘나타 YF	1.9 L	K5 TF	1.9~2.0 L
쏘나타 LF	1.9~2.0 L	모닝 TA	1.9~2.0 L
엑센트 RB	1.9 L	봉고3 PU 2.4	1.95 L
쏠라티 EU	3.2 L, 3.5 L(PTO 적용)	스포티지QL	1.8~1.9 L
벨로스터 JS 1.4	1.9~2.0 L	쏘울 SK3	1.9~2.0 L
벨로스터 JS 1.6	1.7~1.8 L		

03 수동 변속기(트랜스액슬)의 입력축 엔드 플레이 점검

1 입력축 엔드 플레이 점검(아반떼 XD) 방법

① 트랜스 액슬 하우징의 입력축 베어링 레이스에 스페이서를 장착한다.

② 직경이 3mm이고 길이가 10mm인 납(Solder) 2개를 베어링 입력축 베어링 외부 레이스 밑에 장착하고 볼트를 규정된 토크로 조여 트랜스 액슬 하우징을 조립한다.

동영상

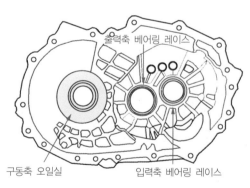

출력축 베어링 레이스

구동축 오일실   입력축 베어링 레이스

❖ 입력축 베어링 레이스 위치

③ 트랜스 액슬 하우징을 탈거하고 납작해진 납을
  마이크로미터로 두께를 측정하여 엔드 플레이
  를 측정한다.

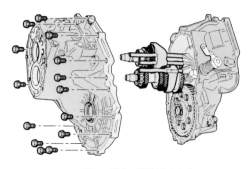

항　　목	정비기준
입력축 리어 베어링의 엔드 플레이	0.01~0.09mm
출력축 베어링의 엔드 플레이	0.05~0.10mm
디퍼렌셜 축 베어링의 엔드 플레이	0.05~0.17mm
디퍼렌셜 피니언의 백래시	0.025~0.15mm
입력축 프런트 베어링의 엔드 플레이	0.01~0.12mm

⁏ 트랜스 액슬 하우징 분리

④ 규정값으로 조정해주는 두께의 스페이서를 장착한다.

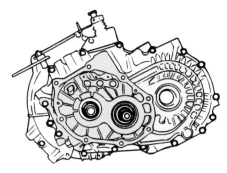

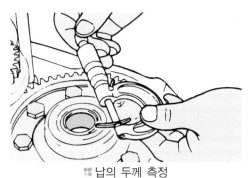

⁏ 하우징 규정 토크 조립

⁏ 납의 두께 측정

⁏ 다이얼 게이지 설치

⁏ 입력축 엔드 플레이 점검

■ 스페이서의 규격

품 명	두께(mm)	식별 표시
스냅링 (입력축 프런트 베어링 엔드 플레이 조정용)	2.15	주황
	2.23	–
	2.31	황색
	2.39	적색
	2.47	회색
스페이서 (출력축 베어링 엔드 플레이 조정용)	1.43	43
	1.46	46
	1.49	49
	1.52	52
	1.55	55

■ 차종별 엔드 플레이 규정값(mm)

차 종	프런트 베어링 엔드 플레이	리어 베어링 엔드 플레이	비고
베르나, 엑셀	0.01~0.12	0.01~0.09	
아반떼 XD	0.01~0.12	0.01~0.09	
크레도스	0.05	0.05	
EF 쏘나타	–	0.01~0.12	L : LOOSE FITTING T : TIGHT FITTING
엘란트라	0.01~0.12	0.01~0.12	
쏘나타Ⅱ	0.01~0.12	0.01~0.12	
그랜저 XG	0.01~0.12L	0.01~0.12L	
투스카니	0.01L~0.12L	0.01L~0.09L	

04 싱크로나이저 링과 기어와의 간극 점검

1 입력축 싱크로나이저 링과 3~4단 기어와의 간극 점검 방법

동영상

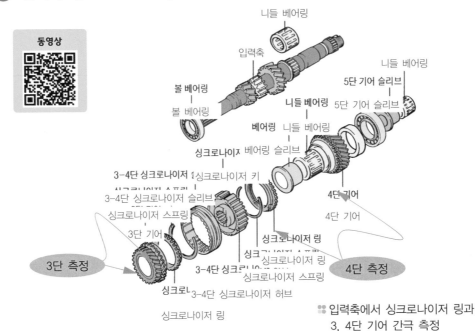

니들 베어링

입력축

니들 베어링

5단 기어 슬리브

5단 기어 슬리브

볼 베어링

니들 베어링

볼 베어링

베어링 니들 베어링

싱크로나이저 베어링 슬리브

3-4단 싱크로나이저 싱크로나이저 키

싱크로나이저 스프링

3-4단 싱크로나이저 슬리브

싱크로나이저 스프링

4단 기어

4단 기어

3단 기어

싱크로나이저 링

3단 측정

싱크로나이저 싱크로나이저 링

3-4단 싱크로나이저 싱크로나이저 스프링

4단 측정

싱크로나이저 3-4단 싱크로나이저 허브

싱크로나이저 링

:: 입력축에서 싱크로나이저 링과
3, 4단 기어 간극 측정

2 출력 싱크로나이저 링과 1~2단, 5단 기어와의 간극 점검 방법

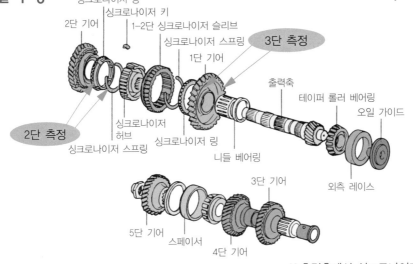

싱크로나이저 링

싱크로나이저 키

2단 기어

1-2단 싱크로나이저 슬리브

싱크로나이저 스프링

3단 측정

1단 기어

출력축

테이퍼 롤러 베어링

오일 가이드

2단 측정

싱크로나이저
허브

싱크로나이저 링

싱크로나이저 스프링

니들 베어링

외측 레이스

3단 기어

5단 기어

스페이서

4단 기어

:: 출력축에서 싱크로나이저 링과
1, 2, 5단 기어 간극 측정

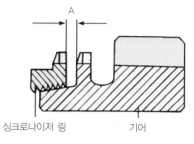

싱크로나이저 링   기어

❈ 싱크로나이저 링과 기어의 간극 점검

❈ 싱크로나이저 링과 기어의 간극 점검

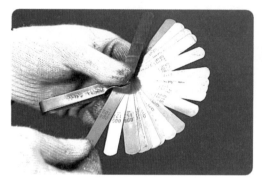

❈ 시크니스 게이지

❈ 싱크로나이저 링과 기어의 간극 점검

① 싱크로나이저 링을 기어쪽으로 밀면서 간극 A를 시크니스 게이지로 점검하여 규정값을 벗어난 경우에는 싱크로나이저 링을 교환한다.

■ **차종별 엔드 플레이 및 싱크로나이저 링과 기어와의 간극 규정값**(mm)

차 종	싱크로나이저 링과 기어와 간극	차 종	싱크로나이저 링과 기어와 간극
베르나, 엑셀	0.5 (한계값)	엘란트라	0.5 (한계값)
쏘나타	0.5 (한계값)	쏘나타Ⅱ	0.5 (한계값)
아반떼 XD	0.5 (한계값)	그랜저	0.5 (한계값)
크레도스	1.5 (0.8)		

③ 싱크로나이저 링의 마모 상태

❈ 트리플 콘 타입 마모상태

❈ 워너타입 마모상태

05 수동 변속기 후진 아이들 기어 탈, 부착

동영상

1 수동 변속기 후진 아이들 기어 탈, 부착 방법

① 후진 변속 레버를 탈거한다.

❖ 후진 시프트 레일 탈거

❖ 후진 변속 레버 탈거

② 후진 기어 축과 후진 아이들 기어를 탈거한다.

후진기어 축
아이들 기어

❖ 후진 기어 축 / 아이들 기어 탈거

③ 조립은 분해의 역순으로 한다.

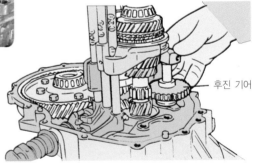

후진 기어

❖ 후진 기어 축/아이들 기어 탈거

06 수동 변속기 1단 기어 탈, 부착

1 수동 변속기 1단 기어 탈, 부착 방법

① 특수공구를 사용하여 베어링, 2단 기어, 1~2단 싱크로 나이저 어셈블리 기어, 1단 기어, 니들 베어링을 순서대로 탈거한다.

② 조립은 분해의 역순이다.

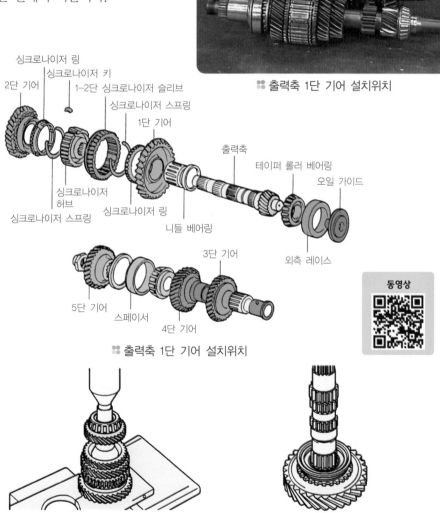

❖ 출력축 1단 기어 설치위치

❖ 출력축 1단 기어 설치위치

❖ 베어링 탈거

❖ 1단 기어 탈거

55

07 속도계 케이블 탈, 부착

1 속도계 케이블 탈거방법

① 스피드 미터 케이블을 변속기에 있는 스피드 미터 드리븐 기어에서 캡을 돌려 분리한다.

② 인스트루먼트 패널(계기판) 뒤쪽에서 케이블을 분리한다.

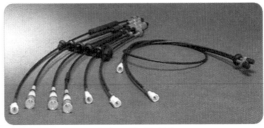

❖ 속도계 케이블

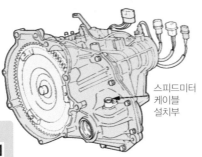

스피드미터
케이블
설치부

동영상

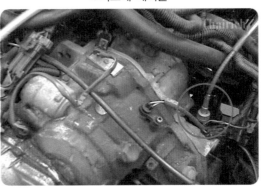

❖ 변속기에서의 스피드 미터 케이블 설치상태

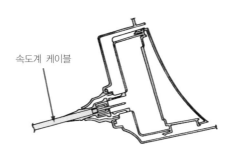

속도계 케이블

❖ 계기판에 케이블 설치상태

2 속도계 케이블의 점검

① 케이블의 마찰저항의 증가여부를 확인하여 회전이 원활하지 못하면 교환한다.

② 어뎁터 부분이나 드리븐 기어와 조립부분에 나사의 이상 유무를 확인한다.

③ 케이블의 손상, 구부러짐, 비틀림 정도를 점검하여 심할 경우 케이블을 교환한다.

3 속도계 케이블의 장착

① 케이블을 카울 패널에 글로미터와 함께 설치한 후 운전석 계기판 속도계 뒤쪽에 어뎁터가 딸각 소리가 날 때 까지 밀어서 고정한다.

② 변속기 출력축에 속도계 드리븐 기어에 속도계 케이블 홈을 맞추고 고정너트를 조인다.

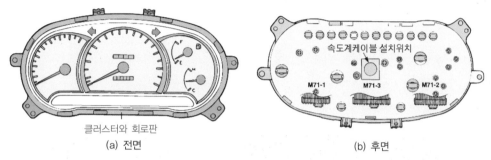

(a) 전면

(b) 후면

❖ 운전석 계기판에서의 케이블 설치위치

❖ 변속기에서의 속도계 케이블 드리븐 기어

> **TIP** ●●● 케이블이 잘못 장착되면 스피드 미터의 지침이 흔들리고 비정상적인 소음이 발생된다.
> 근래에는 전자식 스피드 미터가 주류를 이루고 있다.

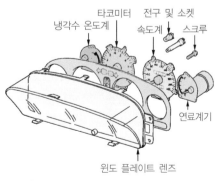

❖ 인스트루먼트 패널 분해도

08 속도계 시험

1 속도계 시험 측정 조건

동영상

① 자동차는 공차상태에서 운전자 1인이 승차한 상태로 한다.
② 타이어의 공기압은 표준 공기압으로 한다.
③ 자동차의 바퀴는 흙 등의 이물질을 제거한 상태로 한다.
④ 속도계 시험기 지침의 진동은 ±3km/h 이하이어야 한다.

2 디지털 테스터기를 이용한 측정 방법

① 컨트롤 박스의 우측 하단에 있는 브레이커 스위치를 ON시킨 후 앞 패널에 있는 전원 스위치를 ON시킨다.

※ ABS 콤비 스피드 미터 테스터 모니터와 패널　　※ ABS 콤비 테스터 전원 스위치와 보턴

② 모니터에 초기 화면이 표시될 때까지 워밍업을 한다.

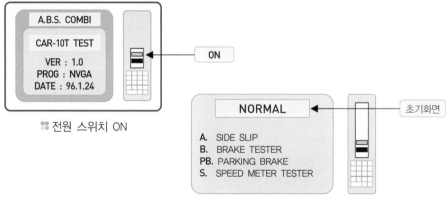

※ 전원 스위치 ON

※ 초기 화면

③ 검사 차량을 속도계 시험기의 리프트에 진입시킨다.

◦◦ 스피드 미터 테스트 롤러에 진입 장면

◦◦ 스피드 미터 측정 장면

④ 키 보드의 Ⓢ 버튼을 누른다. 이때 모니터에는 스피드 미터의 화면이 나타나고 리프트는 하강한다.

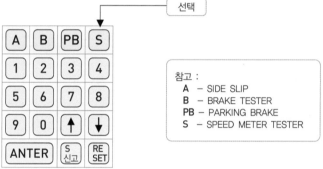

◦◦ 속도계 측정 버튼

⑤ 차량을 시동하여 1단부터 변속시키면서 서서히 가속시켜 자동차의 속도계가 40km/h가 되면 키 보드의 Ⓢ 신고 버튼을 누른다.

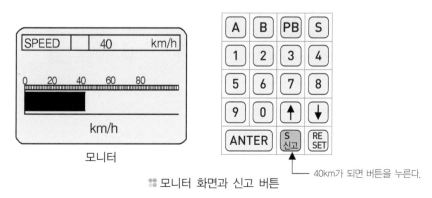

모니터

40km가 되면 버튼을 누른다.

◦◦ 모니터 화면과 신고 버튼

> **TIP** •• ① 핸들을 잡고 가속을 하여야 하며, 조향 핸들을 급조작하지 말 것
> ② 전륜 구동 장치의 경우 리프트 하강 후에 주차 브레이크를 최대한 당기고 1단부터 서 서히 가속시킨다.

⑥ 모니터에 판정이 나타나면 RESET 버튼을 누른다.

⑦ 이 때 리프트는 상승하며, 모니터에는 초기화면이 나타난다.

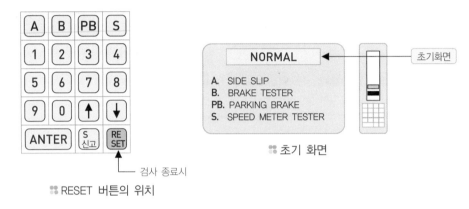

📛 RESET 버튼의 위치

📛 초기 화면

---

③ 아날로그 테스터기를 이용한 측정 방법

1. 아날로그 방식의 구조

📛 속도계 패널

📛 밸브 스위치

① **눈금판** : 속도(km/h)를 나타낸다.

② **부저** : 시험기의 속도가 40km/h가 되었을 때 부저가 울린다.

③ **전원 스위치** : 전원을 ON, OFF하는 스위치이다.

④ **파일럿 램프(P/L)** : 전원 스위치를 ON으로 하면 점등된다.

⑤ **롤러** : 시험 자동차의 타이어와 함께 회전한다.

⑥ **리프트** : 밸브 스위치에 의해 구동되며, 상하로 이동한다.

⑦ **밸브 스위치** : 압축 공기를 이용하여 리프트를 상하로 이동시키는 스위치이다.

2. 아날로그 테스터를 이용한 측정 방법

① 계기판의 전원 스위치를 눌러 ON시킨다. 이때 파일럿 램프(P/L)의 점등을 확인한다.

② 측정하고자 하는 자동차의 구동 바퀴를 롤러와 직각이 되도록 진입시키고 구동 바퀴가 아닌 곳에는 고임목을 고인다.

② 밸브를 조작하여 리프트를 하강시킨다.

③ 계기판의 전원 스위치를 눌러 ON시킨다.(P/L 점등 확인)

④ 엔진을 시동하여 변속레버를 1단에서 서서히 가속시켜 3단 정도에 두고 차량(운전석) 계기판이 40km/h를 지시할 때 테스터의 눈금을 읽는다. 측정한 실제 속도를 이용하여 자동차 속도계의 오차 값이 다음 산식에서 구한 값에 적합한지를 확인한다.

⑤ 측정 후 차량을 서서히 속도를 낮추어 정지시킨다.

⑥ 밸브 스위치를 조작하여 리프트를 상승시킨 후 전원 스위치를 OFF로 한다.

④ 판정 방법

1. 판정기준

속도계는 수평 노면에서의 속도가 40km/h(최고 속도가 40km/h미만인 자동차에 있어서는 그 최고 속도)인 경우 그 지시오차가 정 25%, 부 10% 이내일 것.

❋ 속도계 측정 모습

❋ 속도계 측정 완료

속도계 측정 완료

속도 계기판 속도 측정 완료

■ 자동차관리법 시행규칙 제73조 관련

항 목	검 사 기 준	검 사 방 법
계기장치	① 모든 계기가 설치되어 있을 것. ② 속도계 지시오차는 정 25%, 부 10% 　이내일 것 ③ 최고속도 제한장치 및 운행 기록계 　의 설치상태가 양호할 것.	① 계기장치의 설치여부 확인 ② 40km/h의 속도에서 자동차 속도계의 　지시오차를 속도계 시험기로 측정 ③ 최고속도제한장치·운행기록계의 설치 　상태 및 작동여부 확인

2. 판정 계산 방법의 예(측정 차량의 속도계 40km/h를 기준으로 하였을 때)

① 오차 $(\%) = \dfrac{\text{자동차의 속도}(40) - \text{테스터의 지시값}}{\text{테스터의 지시값}} \times 100$

∴ 지시 오차의 합격범위는 정 25%, 부 10% 이내이다.

② +25%일 때 테스터의 지시값 계산 : $\dfrac{40\text{km/h}}{1.25(125\%)} = 32\text{km/h}$

③ −10%일 때 테스터의 지시값 계산 : $\dfrac{40\text{km/h}}{0.9(90\%)} = 44.4\text{km/h}$

따라서 합격범위는 32~44.4km/h이다.

TIP ●● 운전석에서 차량의 속도계가 40km/h일 때 테스터의 속도계 눈금을 읽는다.

3. 판정 계산 방법의 예(테스터의 40km/h를 기준으로 하였을 때)

① 오차 (%) = $\dfrac{\text{자동차 속도계의 지시값} - \text{테스터의 속도(40)}}{\text{테스터의 속도(40)}} \times 100$

② **+25%일 때의 차량 속도계의 지시값 계산** : 40km/h × 1.25(125%) = 50km/h

③ **−10%일 때의 차량 속도계의 지시값 계산** : 40km/h × 0.9(90%) = 36km/h
   따라서 합격범위는 36～50km/h이다.

TIP ●● 운전석에서 조작하면서 테스터의 부저 및 표시 등이 점등될 때 차량의 속도계의 눈금을 읽는다.

---

exercise

자동차의 속도가 40km/h 일 때 시험기의 속도가 48km/h가 나왔다면 속도계의 오차는?

① 계산방법 : $\dfrac{\text{자동차속도} - \text{시험기속도}}{\text{시험기속도}} \times 100 = \dfrac{40-48}{48} \times 100 = -16.6\%$

② 판   정 : 즉 시험기 속도가 48km/h 이므로 자동차의 속도도 48km/h가 나와야 하나 16.6%가 감소된 40km/h가 나왔으므로 부적합임

---

exercise

자동차의 속도가 40km/h 일 때 시험기의 속도가 46km/h가 나왔다면 속도계의 오차는?

① 계산방법 : $\dfrac{\text{자동차속도} - \text{시험기속도}}{\text{시험기속도}} \times 100 = \dfrac{46-40}{40} \times 100 = 15\%$

② 판   정 : 즉 시험기 속도가 40km/h 이므로 자동차의 속도도 40km/h가 나와야 하나 15%가 증가된 46km/h가 나왔으므로 적합임

⁑ 속도계 검사

⁑ EF 쏘나타 계기판 속도계

제3장

자동변속기

01 자동변속기 오일량 점검

1 오일량 점검 방법

동영상

1. 에어클리너
2. 엔진오일 캡
3. 브레이크/클러치 액 탱크
4. 엔진 냉각수 탱크
5. 엔진룸 퓨즈박스
6. 배터리
7. 워셔액 탱크
8. 파워스티어링 오일 탱크
9. 엔진 오일 게이지
10. 자동변속기 오일 게이지

:: 라세티 엔진 룸

① 자동차를 평탄한 지면에 주차시킨다.

② 오일 레벨 게이지를 빼내기 전에 게이지 주위를 깨끗이 닦는다.

③ 변속(시프트)레버를 P 레인지로 선정한 후 주차 브레이크를 걸고 엔진을 시동한다.

④ 변속기 내의 오일 온도가 70~80℃에 이를 때까지 정상 작동온도로 운전을 실시한다.

⑤ 변속레버를 차례로 각 레인지로 이동시켜 토크 컨버터와 유압 라인에 오일을 채운 후 변속레버를 N 레인지로 선정한다. 이 작업은 오일량을 정확히 판단하기 위해 반드시 하여야 한다.

⑥ 게이지를 빼내어 오일량이 "HOT" 범위에 있는지 확인하고, 오일이 부족하면 "HOT"까지 보충한다.

2 사진으로 보는 자동변속기 오일량 점검 순서

① 주차 브레이크 체결

② 시동 스위치 위치

③ 엔진 공회전 상태

④ 브레이크 페달을 밟는다.

⑤ 선택 레버 P위치에서

D위치까지 왕복한다.

⑥ 선택 레버 N위치 또는 P위치에 놓는다.

⑦ 엔진은 시동이 걸린 상태

⑧ 오일 레벨 게이지 위치 확인

⑨ 오일 레벨 게이지 탈거

⑩ 오일 레벨 게이지를 닦는다.

⑪ 오일 레벨 게이지 다시 장착

⑫ 오일 레벨 게이지 다시 탈거

오일량 정상 수준

⑬ 오일량을 확인한다.

⑭ 오일 레벨 게이지 장착 완료

③ 오일의 상태 점검 방법

① **정상** : 투명도가 높은 붉은 색이다.

② **갈색인 경우** : 오일이 장시간 고온에 노출되어 열화를 일으킨 경우이며, 이 경우 색깔뿐만 아니라 점도가 낮아져 깔깔하게 느껴진다. – 신속히 오일을 교환하여야 한다.

③ **투명도가 없어지고 검은색을 띠는 경우** : 변속기 내부의 클러치 판의 마멸된 분말에 의한 오손, 부싱 및 기어의 마멸 등을 생각할 수 있다.

   – 이 경우 조치는 오일 팬을 탈거하고 오일 팬의 금속분말이나 클러치 판의 마멸된 분말 등을 닦아내고 스트레이너를 세척한 다음 오일을 교환한다. 또 운전 중에 이상음이 나고 클러치가 미끄러지는 느낌이 있으면 즉시 분해수리를 하여야 한다.

④ **니스 모양으로 된 경우** : 오일이 매우 고온에 노출된 경우이며 "갈색인 경우"에서 변화를 거쳐 바니시화 된 것이다.

⑤ **백색인 경우** : 수분의 혼입이다.

   – 이 경우에는 오일 냉각기나 라디에이터를 수리하고 오일을 교환한 다음 사용하여야 한다.

02 자동변속기 오일 필터 교환

① 자동변속기 오일 필터 교환 방법

동영상

① 변속기에 묻어 있는 모래, 오물 등을 청소한다.

② 오일 팬이 아래에 위치하도록 변속기를 작업대에 놓는다.

③ 8×60mm의 볼트를 사용하여 토크 컨버터를 탈거한다.

⑤ 펄스 제너레이터 A와 B를 탈거한다.

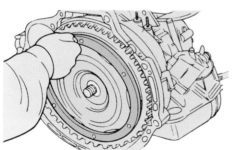

토크 컨버터 분리

:: 토크 컨버터 탈거

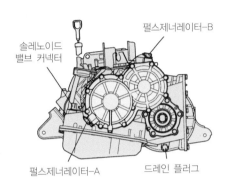

솔레노이드
밸브 커넥터

펄스제너레이터-B

펄스제너레이터-A

드레인 플러그

:: 펄스 제너레이터 탈거

⑥ 매뉴얼 컨트롤 레버와 인히비터 스위치를 탈거한다.

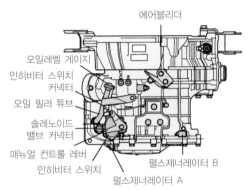

에어블리더

오일레벨 게이지

인히비터 스위치
커넥터

오일 필러 튜브

솔레노이드
밸브 커넥터

매뉴얼 컨트롤 레버

인히비터 스위치

펄스제너레이터 B

펄스제너레이터 A

:: 인히비터 스위치 탈거

동영상

⑦ 스냅 링을 탈거하고 킥다운 서보 스위치를 탈거한다.

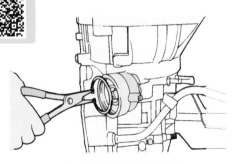

:: 킥 다운 서보 스위치 탈거

:: 킥 다운 서보 스위치

⑧ 오일 팬과 개스킷을 탈거한다.

⑨ 밸브 보디에서 오일 필터를 탈거한다.

⑩ 조립은 탈거의 역순에 의한다.

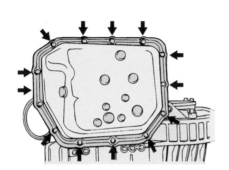

❖ 오일 팬 탈거

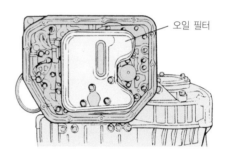

오일 필터

❖ 오일 필터 탈거

03 자동변속기의 분해 조립

1 자동변속기 어셈블리의 분해 조립

① 변속기에 묻어 있는 모래, 오물 등을 청소한다.
② 오일 팬이 아래에 위치하도록 변속기를 작업대에 놓는다.

> **주의사항**
> • 변속기의 모든 접촉면은 매우 정밀하게 기계 가공되어 있으므로 부품을 다룰 때 패이거나 흠집이 발생되지 않도록 조심한다.
> • 분해·조립 작업 중에는 필히 청결을 유지하여야 한다.
> • 각 부품을 분해한 후 세척할 경우 적절한 솔벤트로 닦은 뒤 압축공기로 건조시켜야하며, 타월 등으로 닦아서는 안된다.
> • 클러치 디스크, 브레이크 디스크, 플라스틱 스러스트와 고무제 부품은 ATF로 청소하여야 하며, 청결을 유지하여야 한다.

③ 전용공구를 이용하여 토크 컨버터를 탈거한다.
④ 분해 전에 입력축의 엔드 플레이를 점검하여 스러스트 와셔를 교환하여야 할 곳을 알아낸다.
　㉮ 다이얼 인디케이터 서포트를 사용하여 토크 컨버터 하우징에 다이얼 인디케이터를 장착한다.
　㉯ 엔드 플레이를 측정할 경우 핀을 사용하여 입력축을 밀고 당긴다.
　㉰ 입력축이 긁히지 않도록 주의하며, 측정값을 기록하여 조립시 참고한다.

> **Tip**
> ※ **엔드 플레이 조정**
> • 스러스트 와셔(Thrust Washer) 로 조정한다.
> • 스러스트 와셔1은 리액션 샤프트 서포트와 리어 클러치 리테이너 사이에 설치되어 있다.
> • 스러스트 와셔2는 리액션 샤프트 서포트 및 프런트 클러치 리테이너 사이

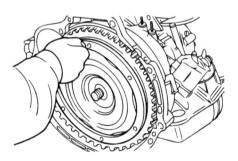

❖ 토크 컨버터 탈거

❖ 입력축 엔드 플레이 점검

⑤ 펄스 제너레이터 A와 B를 탈거한다.

⑥ 매뉴얼 컨트롤 레버와 인히비터 스위치를 탈거한다.

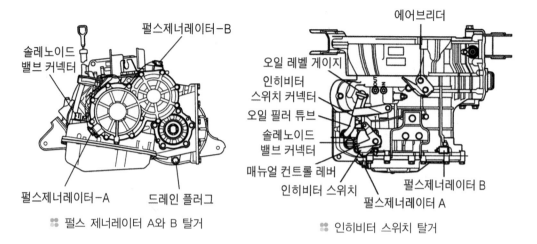

펄스 제너레이터-B
솔레노이드 밸브 커넥터
펄스제너레이터-A
드레인 플러그

❖ 펄스 제너레이터 A와 B 탈거

에어브리더
오일 레벨 게이지
인히비터 스위치 커넥터
오일 필러 튜브
솔레노이드 밸브 커넥터
매뉴얼 컨트롤 레버
인히비터 스위치
펄스제너레이터 A
펄스제너레이터 B

❖ 인히비터 스위치 탈거

⑦ 스냅링을 탈거하고 킥다운 서보 스위치를 탈거한다.

⑧ 볼트를 풀고 특수 공구를 사용하여 오일 펌프를 탈거한다.

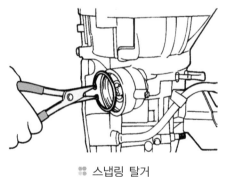

❖ 스냅링 탈거

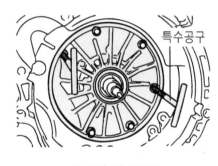

특수공구

❖ 오일 펌프 탈거

⑨ 파이버 스러스트 와셔를 탈거한다.

❖ 파이버 스러스트 와셔 탈거

⑩ 입력축을 들어 올려 프런트 클러치 어셈블리와 리어 클러치 어셈블리를 함께 탈거한다.

⑪ 스러스트 베어링을 탈거한다.

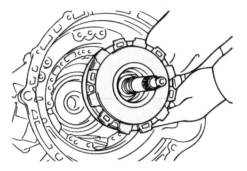

✛ 프런트 및 리어 클러치 탈거

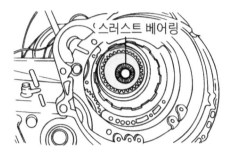

✛ 스러스트 베어링 탈거

⑫ 클러치 허브를 탈거한다.

⑬ 스러스트 레이스와 베어링을 탈거한다.

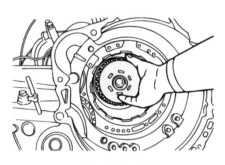

✛ 클러치 허브 탈거

✛ 스러스트 베어링 탈거

⑭ 킥다운 드럼을 좌우로 돌리면서 탈거한다.

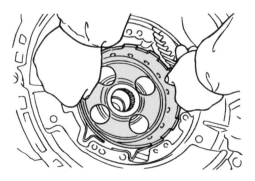

✛ 킥다운 드럼 탈거

⑮ 킥다운 밴드를 탈거한다.

⑯ 로 리버스 서포트 고정 스냅링을 탈거한다.

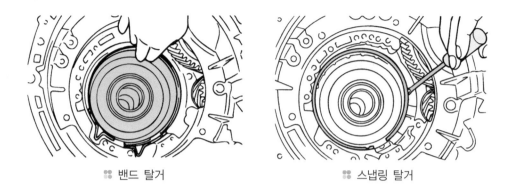

:: 밴드 탈거   :: 스냅링 탈거

⑰ 센터 서포트에 특수 공구를 설치하여 센터 서포트를 들어 올린다.

⑱ 후진 선 기어와 전진 선 기어를 함께 탈거한다.

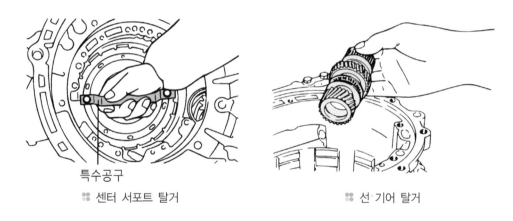

특수공구

:: 센터 서포트 탈거   :: 선·기어 탈거

⑲ 유성기어 캐리어 어셈블리와 스러스트 베어링을 함께 탈거한다.

:: 유성기어 캐리어 탈거

⑳ 웨이브 스프링, 리턴 스프링, 리액션 플레이트, 브레이크 디스크, 브레이크 플레이트를 탈거한다.

㉑ 엔드 클러치 커버 볼트, 커버 홀더, 엔드 클러치 커버를 탈거한다.

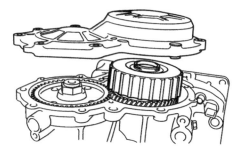

❁ 브레이크 디스크 탈거   ❁ 엔드 클러치 커버 탈거

㉒ 엔드 클러치 어셈블리를 탈거한다.

㉓ 스러스트 플레이트를 탈거한다.

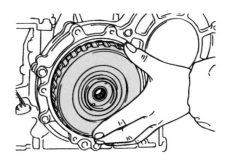

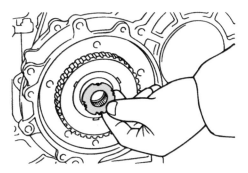

❁ 엔드 클러치 어셈블리 탈거   ❁ 스러스트 플레이트 탈거

㉔ 엔드 클러치 허브와 스러스트 베어링을 탈거한다.

㉕ 엔드 클러치 샤프트를 빼낸다.

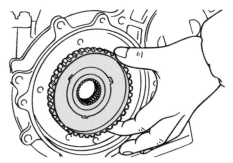

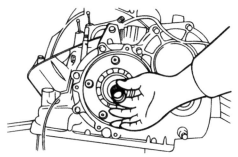

❁ 엔드 클러치 허브 탈거   ❁ 엔드 클러치 샤프트 탈거

㉖ 오일 팬과 개스킷을 탈거한다.

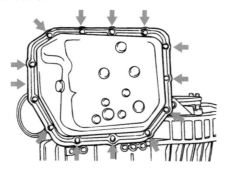

❖ 오일 팬 탈거

㉗ 밸브 보디에서 오일 필터를 탈거한다.

㉘ 유온 센서를 브래킷에서 탈거한 후 커넥터 쪽으로 빼낸다.

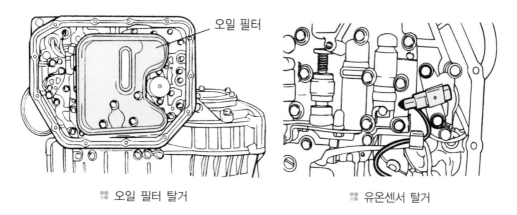

오일 필터

❖ 오일 필터 탈거   ❖ 유온센서 탈거

㉙ 클립 제거 후 솔레노이드 밸브 커넥터를 탈거한다.

㉚ 밸브 보디를 탈거한다.

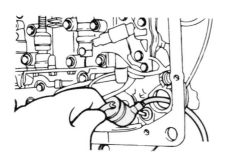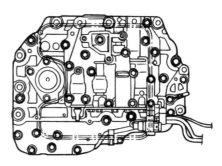

❖ 솔레노이드 밸브 커넥터 탈거   ❖ 밸브 보디 탈거

㉛ 트랜스퍼 샤프트 로크 너트에 코킹을 펀치로 펴고 너트를 탈거한다.

㉜ 특수 공구를 사용하여 트랜스퍼 드리븐 기어를 탈거한다.

㉝ 테이퍼 롤러 베어링의 외측 레이스를 탈거한다.

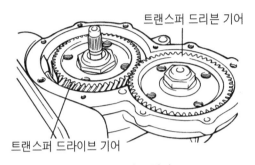

트랜스퍼 드리븐 기어

트랜스퍼 드라이브 기어

:: 로크 너트 탈거

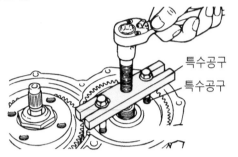

특수공구

특수공구

:: 트랜스퍼 드리븐 기어 탈거

㉞ 스냅링 플라이어로 스냅링을 탈거한다.

㉟ 트랜스퍼 샤프트 및 테이퍼 롤러 베어링 외측 레이스를 탈거한다.

㊱ 트랜스퍼 드라이브 기어 로크 너트 및 체결 볼트를 탈거한 후 트랜스 퍼 드라이브 기어를 탈거한다.

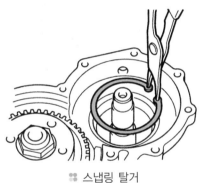

:: 스냅링 탈거

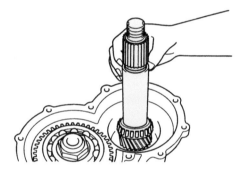

:: 트랜스퍼 샤프트 탈거

㊲ 디퍼렌셜 커버 및 개스킷을 탈거한다.

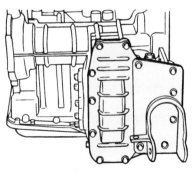

:: 디퍼렌셜 커버 탈거

㊳ 스피드 미터 슬리브를 탈거한다.

㊴ 다이얼 게이지를 설치하고 엔드 플레이를 측정한 후 기록하여 조립시 참고한다.

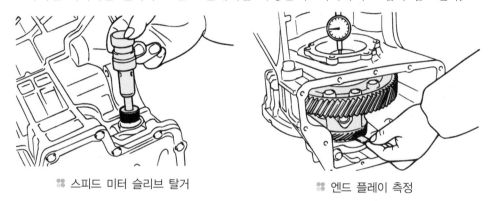

❖ 스피드 미터 슬리브 탈거　　　　❖ 엔드 플레이 측정

㊵ 디퍼렌셜 베어링 리테이너 장착 볼트를 탈거한다.

㊶ 특수 공구를 이용하여 디퍼렌셜 베어링 리테이너를 탈거한다.

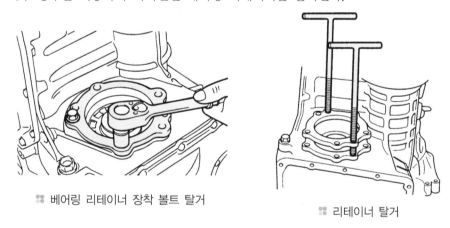

❖ 베어링 리테이너 장착 볼트 탈거

❖ 리테이너 탈거

㊷ 디퍼렌셜 베어링 캡 볼트를 풀고 베어링 캡을 탈거한다.

㊸ 디퍼렌셜 어셈블리를 탈거한다.

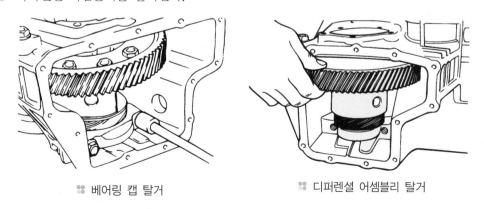

❖ 베어링 캡 탈거　　　　❖ 디퍼렌셜 어셈블리 탈거

77

㊽ 2개의 볼트를 풀고 주차 스프래그 로드를 탈거한다.

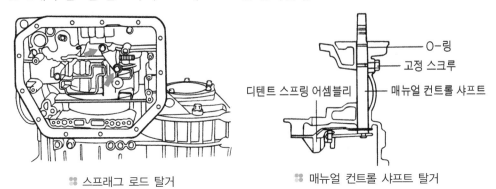

:: 스프래그 로드 탈거　　　　　　:: 매뉴얼 컨트롤 샤프트 탈거

㊺ 고정 스크루와 매뉴얼 컨트롤 샤프트 어셈블리를 탈거한 후 스틸 볼, 시트, 스프링을 동시에 탈거한다.

㊻ 킥다운 서보의 스냅링을 탈거한다.

㊼ 킥다운 피스톤을 탈거한다.

㊽ 조립은 분해의 역순에 의한다.

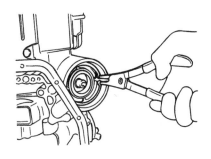
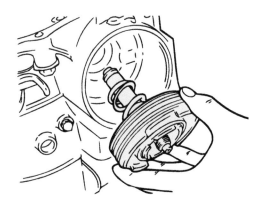

:: 스냅링 탈거　　　　　　　　　　:: 킥다운 피스톤 탈거

자동변속기 엔드 클러치 / 밸브 보디 교환

❶ 엔드 클러치의 교환 방법

① 변속기에 묻어 있는 모래, 오물 등을 청소한 후, 오일을 배출한다.

② 오일 팬이 아래에 위치하도록 변속기를 작업대에 놓는다.

③ 8×60mm의 볼트를 사용하여 토크 컨버터를 탈거한다.

⑤ 펄스 제너레이터 A와 B를 탈거한다.

⑥ 매뉴얼 컨트롤 레버와 인히비터 스위치를 탈거한다.

동영상

⑦ 스냅 링을 탈거하고 킥다운 서보 스위치를 탈거한다.

∷ 킥 다운 서보 스위치 설치 위치

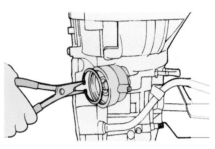

∷ 킥 다운 서보 스위치 탈거

⑧ 엔드 클러치 커버 볼트, 커버 홀더, 엔드 클러치 커버를 탈거한다.

∷ 엔드 클러치 커버 탈거

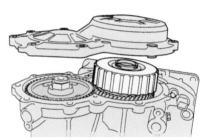

∷ 엔드 클러치 커버 탈거

⑨ 엔드 클러치 어셈블리를 탈거한다.

∷ 엔드 클러치 어셈블리 탈거

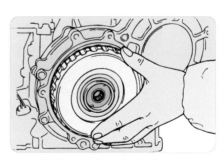

∷ 엔드 클러치 어셈블리 탈거

⑩ 스러스트 플레이트를 탈거한다.

 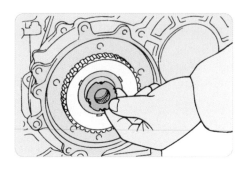

❈ 스러스트 플레이트 탈거

⑪ 엔드 클러치 허브와 스러스트 베어링을 탈거한다.

⑫ 엔드 클러치 샤프트를 빼낸다.

⑬ 조립은 분해의 역순에 의한다.

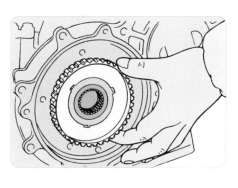 

❈ 엔드 클러치 허브 탈거

 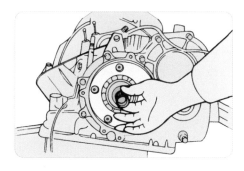

❈ 엔드 클러치 샤프트 탈거

2 밸브 보디의 교환 방법

① 자동변속기 오일 팬의 드레인 플러그를 풀고 오일을 배출한다.

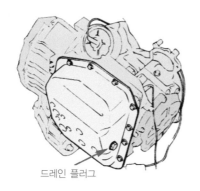

❖ 오일 팬의 드레인 플러그 위치

② 오일 팬과 개스킷을 탈거한다.

③ 밸브 보디에서 오일 필터를 탈거한다.

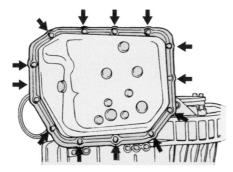

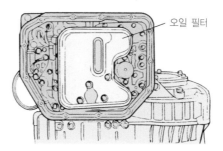

❖ 오일 필터 탈거

81

④ 유온 센서를 브래킷에서 탈거한 후 커넥터 쪽으로 빼낸다.

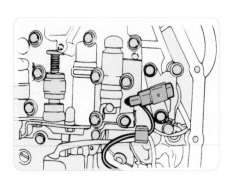 

:: 유온 센서 탈거

⑤ 클립 제거 후 솔레노이드 밸브 커넥터를 탈거한다.

⑥ 밸브 보디를 탈거한다.

⑦ 조립은 분해의 역순에 의한다.

 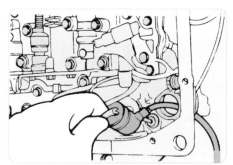

:: 솔레노이드 밸브 커넥터 탈거

:: 솔레노이드 밸브 커넥터 설치 위치

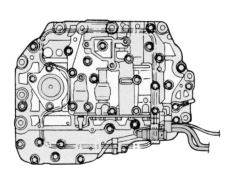 

:: 밸브 보디 탈거

05 자동변속기 선택레버 위치 점검

1 선택레버 작동 점검 방법

① 운전석 선택 레버를 각 위치로 변속시키면서 레버가 부드럽게 움직이고 적절히 조절되는지와 위치 표시가 정확한지 점검한다.

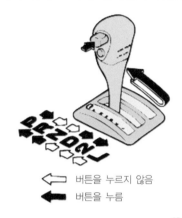

⇦ 버튼을 누르지 않음
⬅ 버튼을 누름

✂ 선택 레버

✂ 인히비터 스위치 설치 위치

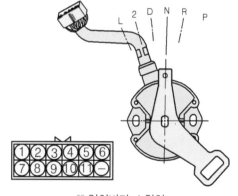

✂ 인히비터 스위치

② 운전석 선택레버 위치와 인히비터 스위치 매뉴얼 컨트롤 레버위치가 일치하는지를 점검한다.
③ 엔진의 시동을 걸고 선택레버를 "N"에서 "D"로 이동 시켰을 때 차량이 앞쪽으로 움직이고 "R"로 놓았을 때 뒤로 움직이는가를 점검한다.
④ 변속레버의 작동이 불량하면 컨트롤 케이블과 슬리브를 조정하고 변속레버 어셈블리의 섭동부를 점검한다.

② 인히비터 스위치 및 컨트롤 케이블과 슬리브 조정 방법

① 변속레버를 N 레인지로 선정한다.
② 트랜스 액슬 컨트롤 케이블과 매뉴얼 컨트롤 레버 결합 부위의 너트를 풀고 케이블과 레버를 분리한다.

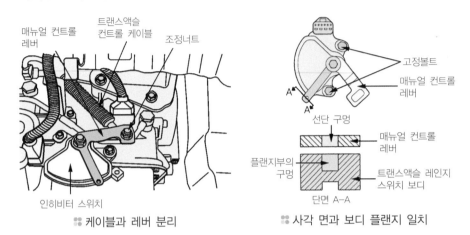

매뉴얼 컨트롤 레버
트랜스액슬 컨트롤 케이블
조정너트
인히비터 스위치
⁑ 케이블과 레버 분리

고정볼트
매뉴얼 컨트롤 레버
선단 구멍
매뉴얼 컨트롤 레버
플랜지부의 구멍
트랜스액슬 레인지 스위치 보디
단면 A-A
⁑ 사각 면과 보디 플랜지 일치

③ 매뉴얼 컨트롤 레버를 N 레인지로 선정한다.
④ 매뉴얼 제어 레버의 사각면과 인히비터 스위치 보디 플랜지가 일치할 때까지 인히비터 스위치 보디를 돌린다. 스위치 보디를 조정할 때 스위치 보디에서 O-링이 떨어지지 않도록 주의한다.
⑤ 설치 볼트를 1.0~2.0kgf·m의 토크로 조인다. 이때 설치 볼트는 스위치 보디가 제 위치에서 이탈하지 않도록 조심해서 조인다.
⑥ 변속레버가 N 레인지에 있는가 점검한다.
⑦ 조정 너트를 조정하여 컨트롤 케이블이 끌리지 않도록 하고 변속레버가 부드럽게 작동하는가를 점검한다.
⑧ 변속 레버를 작동시킬 때 변속레버의 각 레인지와 상응하는 레인지로 매뉴얼 컨트롤 레버가 움직이는가를 점검한다.

③ 인히비터 스위치 조정 방법

① 변속레버를 N레인지로 선정한다.
② 매뉴얼 컨트롤 레버를 중립 위치로 한다.
③ 매뉴얼 컨트롤 레버의 선단(그림에서 단면 A-A)과 인히비터 스위치 보디 플랜지부의 구멍이 일치하도록 인히비터 스

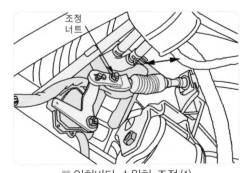

조정 너트
⁑ 인히비터 스위치 조정⑴

위치 보디를 회전시켜 조정한다.

④ 인히비터 스위치 보디의 체결 볼트를 규정 토크(1.0~1.2kgf·m)로 조인다. 이때 스위치 보디가 비뚤어지지 않도록 주의한다.

⑤ 그림〈인히비터 스위치 조정(1)〉과 같이 너트를 풀고 트랜스 액슬 컨트롤 케이블의 선단을 화살표 방향으로 가볍게 당긴다.

⑥ 너트를 규정 토크(1.2kgf·m)로 조인다.

⑦ 변속레버가 N 레인지로 되어 있는가를 확인한다.

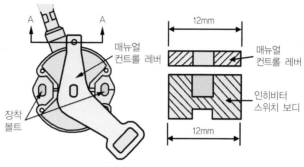

인히비터 스위치 조정(2)

⑧ 변속레버의 각 레인지에 상응하며 트랜스 액슬측의 각 레인지가 확실히 작동하는가를 확인한다.

4 각종 차량 자동변속기 선택 레버

베르나 선택 레버

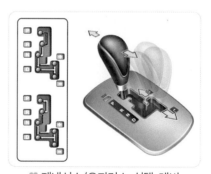

제네시스/오피러스 선택 레버

매그너스 선택 레버

06 자동변속기 자기진단

동영상

1 진단기(HI-SCAN)를 사용한 자동변속기 점검 방법

① 점화 스위치를 OFF시킨다.

② 진단기의 커넥터 리드선을 점검 대상 차량의 자기진단 커넥터에 연결한다.

동영상

③ 차 실내에서 점검할 경우에는 담배 라이터를 빼내고 테스터의 전원을 연결하고, 외부에서 점검할 경우에는 축전지의 ⊕단자 기둥과 ⊖단자 기둥에 연결한다.

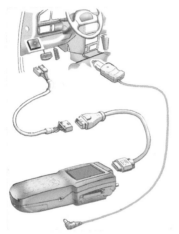

하이스캔 본체 연결

하이스캔 본체의 키보드

④ 점화 스위치를 ON으로 하고 하이스캔의 ON/ OFF 스위치를 0.5초 동안 누른다.

⑤ 잠시 후 하이스캔 기본 로고와 소프트웨어 카탈로그가 화면에 나타난다.

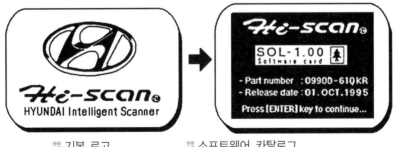

기본 로고   소프트웨어 카탈로그

⑥ 로고 화면에서 엔터(Enter ↵)키를 누른 다음 아래 순서에 맞추어서 측정한다.

기능 선택
01. 차종별 진단 기능 02. CARB OBD-Ⅱ 03. 주행 데이터 검색기능 04. 공구상자 05. 하이스캔 사용환경 10. 응용 진단기능

∷ 기능 선택

1. 차종별진단기능
01. 현대 자동차 02. 대우 자동차 03. 기아 자동차 04. 쌍용 자동차

∷ 제작회사 선택

1. 차종별진단기능
01. 엑센트 02. 엑 셀 03. 스쿠프 04. 아반떼 05. 티뷰론 10. 쏘나타 Ⅱ

∷ 차종 선택

1. 차종별진단기능
차 종 : 엑센트 01. 엔진제어 SOHC 02. 엔진제어 DOHC **03. 자동 변속** 04. 제동제어 05. 에어백

∷ 점검 항목 선택

1. 차종별기능선택
차 종 : 엑 센 트 사 양 : 자동 변속 **01. 자기 진단** 02. 센서 출력 03. 주행 검사 04. 액추에이터 검사 05. 센서출력&시뮬레이션

∷ 자기진단 선택

1.1 자기 진단
85. PCSV 이상 83. SCSV-A이상 03. PCSV 단선 04. DCCSV 단선 05. SCSV-A단선
고장 항목 갯수 : 5개
[TIPS] [ERAS]

∷ 불량일 때

⑦ 불량 화면에서 F1 키를 누르면 커서가 위치한 고장 코드의 정비 지침 내용이 있으며 F2 키를 누르면 기억을 소거할 수 있다.

85. PCSV 이상
PCSV 배선 단락 / 단선 점검 PCSV 단품 고장 검출 고장코드 45번과 46번이 4번 이상 발생시 Fail safe : D위치에서 3속 고정   : 2, L위치에서 2속 고정

∷ PCSV의 서비스 데이터

② Hi-DS Scanner를 이용한 자기진단

1. 각종 버튼의 사용법

① Power 버튼 (◉ : 화면의 밝기를 조정, 이 버튼을 누름과 동시에 상하, 좌 우 화살표를 이용하여 조정

② Enter 버튼 (⟋) : 선택된 메뉴와 기능의 수행

③ Escape 버튼 (⟍) : 실행중인 화면을 이전으로 이동

④ 커서 상향 버튼(⟁) : 커서를 위로 이동

⑤ 커서 하향 버튼(⟄) : 커서를 아래로 이동

⑥ 커서 좌 방향 버튼(◖) : 커서를 좌측으로 이동

⑦ 커서 우 방향 버튼(◗) : 커서를 우측으로 이동

⑧ Page Up 버튼(⟋) : 화면이 2개로 분리되었을 경우 커서를 분리된 화면에서 위로 이동. 페이지 업 기능

⑨ Page Down 버튼(⟍) : 화면이 2개로 분리되었을 경우 커서를 분리된 화면에서 아래로 이동. 페이지 다운 기능

⑩ Help 버튼(●) : 각 화면의 도움 기능

⑪ Manu 버튼(◉) : 각종 선택 메뉴 표시

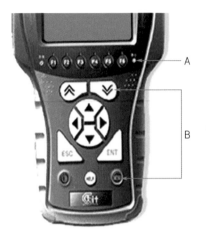

2. HI-DS Scanner에 전원 공급 방법

① **시거 라이터를 이용한 전원 공급** : 시거 라이터 소켓을 통해 전원을 공급할 수 있으며, 크랭킹 중에는 시거라이터 소켓 전원이 차단되므로 크랭킹 중에 통신데이터를 분석하고자 하는 경우에 자동차 배터리에 직접 연결하여야 한다.

② **자동차 배터리를 이용한 전원 공급** : 배터리 (+)와 (−)단자에 배터리 연결용 케이블을 이용하여 전원을 공급하며. 배터리에서 직접 Hi-DS 스캐너에 전원을 공급하여 사용하면 크랭킹 중에도 Hi-DS 스캐너는 항상 작동 상태를 유지할 수 있다.

③ **DLC 케이블을 이용한 전원 공급** : OBD-Ⅱ 통신 규약이 적용되는 차량과 20핀 진단 커넥터의 경우는 별도의 전원 공급 없이 케이블 자체만으로 직접 전원을 공급 받을 수 있다.

④ **AC/DC 어댑터를 이용한 전원 공급** : 실내에서 PC와 연결하여 신차종 프로그램을 다운
로드할 때 AC/DC 어댑터를 전원으로 사용할 수 있다.

Hi-DS Scanner 본체

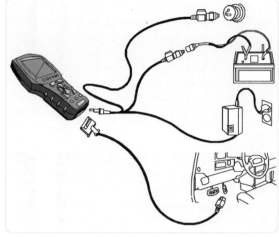

Hi-DS Scanner 본체 전원 공급

3. HI-DS Scanner 전원 ON, OFF 방법

① **전원 ON** : Hi-DS 스캐너에 전원을 연결한 후
POWER ON 버튼(◉)을 선택하면 LCD 화면에
제품명 및 제품 회사의 로고가 나타나며, 3초 후
제품명 및 소프트웨어 버전 출력 화면이 나타난다.
이때 Enter 버튼(ENT)을 누르면 기능선택 화면으
로 진입된다.

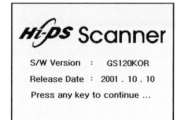

② **전원 OFF** : POWER ON 버튼(◉)과 MENU 버튼(◉) 동시에 누르거나, 전원 선을
분리하면 자동적으로 화면이 사라지면서 OFF 상태가 된다.

4. 자기진단 측정 방법

1단계 : 수행하고자 하는 기능을 선택한다.

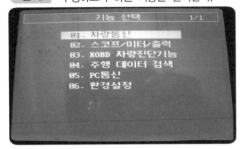

2단계 : 점검차량의 제조회사를 선택한다.

3단계 : 차량을 선택한다.

4단계 : 제어장치 선택한다.

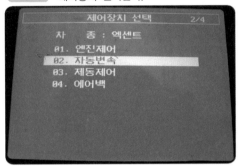

5단계 : 자기진단 선택한다.

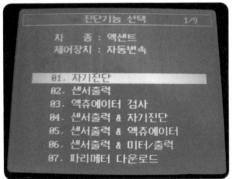

6단계 : 고장일 때 화면이다.

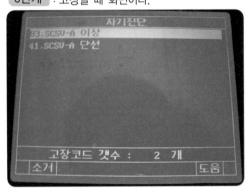

7단계 : 정상 일 때 화면이다.

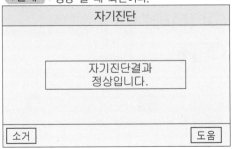

② 자기진단 항목 및 조치방법

① 현대 F4A2 계열 94년형 이전 모델

코드 NO	항목	작동조건	조치방법
21	• TPS의 쇼트 또는 센서 접지선의 단선, 액셀러레이터 스위치 조정불량	• 400rpm 〈 Ne 〈 1000rpm • 액셀러레이터 SW : ON 상태에서 A/D 컨버터 출력이 4.8V 이상의 상태로 4초 이상 유지할 것	• TPS 커넥터 점검 • TPS 단품 점검 • TPS 조정 • 액셀러레이터 스위치 점검 (NO.28출력의 유무) ※ 코드 NO.21, 22발생 후 TCU는 TPS출력을 2.5V 일정 전압으로 간주한다.(TH=50%)
22	• TPS의 단선 또는 센서 접지선의 단선, 액셀러레이터 스위치 조정불량	• Ne 〈 2000rpm • 액셀러레이터 SW : OFF 상태에서 A/D 컨버터 출력이 0.2V 이하로 된 상태를 4초 이상 유지할 것	
23	• TPS 센서 조정 불량	• 스로틀 전압 학습 보정량이 20회 연속하여 ±0.2V이상일 것	
24	• 유온 센서의 단선	• Ne 〉 1000rpm, No 〈 1000rpm 의 상태를 10분간 누적 경과 후 출력 전압이 4.3V이상의 상태로 1초 이상 유지할 것	• 유온 센서 커넥터 점검 • 유온 센서 단품 점검 ※ 코드NO.24 발생 후 TCU는 유온 센서 출력을 80℃로 간주한다.
25	• 킥다운 서보 SW 단선	• Ne 〉 900rpm, 유온 60℃ 상태에서 1속 또는 3속으로의 변속지령에서 5초 후 신호가 OFF로 되는 상태를 1초 이상 유지할 것	• 킥다운 서보스위치 커넥터 점검 • 킥다운 서보스위치 단품점검
26	• 킥다운 서보 SW 쇼트	• Ne 〉 900rpm, 유온 60℃ 상태에서 2속, 4속으로의 변속지령 에서 5초 후 신호가 ON으로 되는 상태를 1초 이상 유지할 것	
27	• 이그니션 펄스 픽업 케이블의 단선	• "D", "2", "L"레인지, No 〉 1500rpm의 상태에서 IG펄스가 5 초간 입력 없을 것	• 이그니션 펄스 신호선의 점검
28	• 액셀러레이터 스위치의 쇼트 또는 조정 불량	• Ne 〉 200rpm, 300rpm 〈 No 〈 900rpm 스로틀개도 30% 이상 ON 신호가 1초 이상 유지 할 것	• 액셀러레이터 스위치 커넥터 점검 • 액셀러레이터 스위치 단품점검 • 액셀러레이터 스위치 조정
31	• TCU 내부 불량	• TCU 내부 원인으로 프로그램의 초기화 처리를 2초간 하여도 이상이 해제되지 않을 때	• TCU 교환

코드 NO	항목	작동조건	조치방법
32	• 고속주행 중의 1속 지령	• 차속 리드 SW에서 검출된 차속이 83km/h 상당 이상으로 이 신호가 100주기 이상 연속하고 있을 때 1속 지령을 0.01초 이상 검출	• TCU 교환
33	• 펄스 제너레이터 B의 단선	• 차속리드 SW출력 차속이 45km/h이상일 때 펄스 제너레이터 B출력 차속이 그때의 30% 이하로 된 상태가 1초 이상 연속	• 펄스 제너레이터 B 단품 점검 • 차속 리드 스위치 점검 (채터링 현상)
41	• 변속조절 솔레노이드 밸브 A의 단선	• 변속조절 솔레노이드 밸브 A의 단선이 0.3초 이상 연속	• 솔레노이드 밸브 커넥터 점검
42	• 변속조절 솔레노이드 밸브 A의 쇼트	• 변속조절 솔레노이드 밸브 A의 쇼트가 0.3초 이상 연속	• 변속 조절 솔레노이드 밸브 A 단품점검
43	• 변속조절 솔레노이드 밸브 B의 단선	• 변속조절 솔레노이드 밸브 B의 단선이 0.3초 이상 연속	• 솔레노이드 밸브 커넥터 점검
44	• 변속조절 솔레노이드 밸브 B의 쇼트	• 변속조절 솔레노이드 밸브B의 쇼트가 0.3초 이상 연속	• 변속조절 솔레노이드 밸브 B 단품 점검
45	• 압력조절 솔레노이드 밸브의 단선	• 압력조절 솔레노이드 밸브의 단선이 0.3초 이상 연속	• 솔레노이드 밸브 커넥터 점검
46	• 압력조절 솔레노이드 밸브의 쇼트	• 압력조절 솔레노이드 밸브의 쇼트가 0.3초 이상 연속	• 압력조절 솔레노이드 밸브 B 단품점검
47	• 댐퍼 클러치 컨트롤 솔레노이드 밸브의 단선	• 댐퍼 클러치 컨트롤 솔레노이드 밸브의 단선이 0.3초 이상 연속	• 솔레노이드 밸브 커넥터 점검
48	• 댐퍼 클러치 컨트롤 솔레노이드 밸브의 쇼트	• 댐퍼 클러치 조절 솔레노이드 밸브의 쇼트가 0.3초 이상 연속	• 댐퍼 클러치 컨트롤 솔레노이드 밸브 단품점검 ※코드 No.47, 48, 49 발생 후 TCU는 DCCSV의 듀티 제어를 중지한다.
49	• 댐퍼 클러치 시스템 의 불량	• 댐퍼 클러치 조절 듀티율이 100%의 상태를 10초 이상 연속	• 댐퍼 클러치 유압 계통 점검 • 댐퍼 클러치 컨트롤 솔레노이드 밸브 단품점검 • TCU교환
51	• 클러치(1속)	• Ne〉0, No〉900rpm 유온 60℃ 이상 1속으로의 변속 완료 후 2초 이후로 Nd=2.18×No의 관계가 1초 이상 성립하지 않을 때	• PG-A, PG-B 커넥터 점검 • PG-A, PG-B 단품점검 • 리어 클러치 불량

코드 NO	항목	작동조건	조치요령
52	• 클러치(2속)	• Ne 〉0, No 〉900rpm 유온 60℃ 이상 2속으로의 변속 완료 후 2초 이후로 Nd=0rpm의 관계가 1초 이상 성립하지 않을 때	• PG-A, PG-B 커넥터 점검 • PG-A, PG-B 단품점검 • 킥다운 브레이크 불량
53	• 클러치(3속)	• Ne 〉0, No 〉900rpm 유온 60℃ 이상 3속으로의 시프트 완료 후 2초 이상 이후로 Nd=No의 관계가 1초 이상 성립하지 않을 때	• PG-A, PG-B 커넥터 점검 • PG-A, PG-B 단품점검 • 프런트 클러치 불량, 리어 클러치 불량
54	• 클러치(4속)	• Ne 〉0, No 〉900rpm 유온 60℃ 이상 4속으로의 시프트 완료 후 2초 이후로 Nd=0rpm 관계가 1초 이상 성립하지 않을 때	• PG-A, PG-B 커넥터 점검 • PG-A, PG-B 단품 점검 • 킥다운 브레이크 불량

② F4A3계열 및 F4A2계열 94년형 이후 모델(Feed Back Control Type)

점검항목	점검내용		불량시 추정 원인 (또는 조치)
	점검조건	정상 판정값	
TPS • 데이터 리스트 • 항목 NO.11	액셀러레이터 페달 전폐	0.5~0.6V	• 전폐 또는 전개시 전압이 높을 때는 TPS 조정불량 • 변화가 없을 때는 TPS 또는 회로 하니스 불량 • 변화가 부드럽지 않을 때는 TPS 또는 액셀러레이터 페달 스위치 불량
	액셀러레이터 페달을 천천히 밟는다.	개도에 따라 변화	
	액셀러레이터 페달 전개	4.5~5.0V	
유온 센서	엔진 냉간시(시동 전)	외기온도 상당	• 유온 센서 또는 회로 하니스 불량
	엔진 주행 중	점차 증가	
	엔진 정상 가온 후	80~110℃	
킥다운 서보 스위치 • 데이터 리스트 • 항목 NO.21	L레인지 공회전	ON	• 킥다운 서보조정 불량 • 킥다운 서보 스위치 또는 회로 하니스 불량 • 킥다운 서보 불량
	D레인지, 1속 또는 3속	ON	
	D레인지, 2속 또는 4속	OFF	

점검항목	점검내용		불량시 추정 원인 (또는 조치)
	점검조건	정상 판정값	
점화 신호선 • 데이터 리스트 • 항목 NO.23	N레인지, 공회전	650~900rpm	• 점화 계통불량 • 점화 신호 픽업 회로 하니스 불량
	N레인지, 2500rpm	2400~2600rpm	
액셀러레이터 페달 스위치 • 데이터 리스트 • 항목 NO.24	액셀러레이터 페달 전폐	ON	• 액셀러레이터 페달 스위치 조정불량 • 액셀러레이터 페달 스위치 및 하니스 불량
	액셀러레이터 페달을 밟는다.	OFF	
공회전 스위치 • 데이터 리스트 • 항목 NO.25	액셀러레이터 페달 전폐	ON	• 공회전 스위치 조정불량 • 공회전 스위치 또는 회로 하니스 불량
	액셀러레이터 페달을 밟는다.	OFF	
에어컨 릴레이 신호 • 데이터 리스트 • 항목 NO.26	D레인지 에어컨 공회전 상승 상태	ON	• 에어컨 파워 릴레이 ON신호 검출 회로 하니스 불량
	D레인지 에어컨 스위치 OFF 상태	OFF	
T/M 기어 포지션 • 데이터 리스트 • 항목 NO.27	D레인지 공회전	C	• TCU불량 • 액셀러레이터 페달 스위치 계통, 불량 • 인히비터 스위치 계통불량 • TPS 계통불량
	L레인지 공회전	1ST	
	2레인지 2속	2ND	
	D레인지, O/D-OFF, 3속	3RD	
	D레인지, O/D, 4속	4TH	
펄스 제너레이터 A* • 데이터 리스트 • 항목 NO.31 (F4A2 계열)	D레인지, 2속, 30km/h로 주행	0rpm	• 펄스 제너레이터 A 또는 회로 하니스 불량 • 펄스 제너레이터 A 실드선 불량 • 외부 노이즈 침입 • 킥다운 브레이크의 미끄럼
	D레인지, 3속, 50km/h로 주행	1600~2000rpm	
	D레인지, 4속, 50km/h로 주행	0rpm	
펄스 제너레이터 A • 데이터 리스트 • 항목 NO.31 (F4A3 계열)	D레인지 정지상태	0rpm	• 펄스 제너레이터 A 또는 회로 하니스 불량 • 펄스 제너레이터 A 실드 선 불량 • 외부 노이즈 침입 • 킥다운 브레이크의 미끄럼
	D레인지, 3속, 50km/h로 주행	1600~2000rpm	
	D레인지, 4속, 50km/h로 주행	1100~1400rpm	

| 점검항목 | 점검내용 | | 불량시 추정 원인
(또는 조치) |
	점검조건	정상 판정값	
펄스 제너레이터 B ● 데이터 리스트 ● 항목 NO.32	D레인지, 정지상태	0rpm	● 펄스 제너레이터 B 또는 회로 하니스 불량 ● 펄스 제너레이터 B 실드 선 불량 ● 외부 노이즈 침입
	D레인지, 3속, 50km/h로 주행	1600~2000rpm	
	D레인지, 4속, 50km/h로 주행	1600~2000rpm	
오버드라이브 스위치 ● 데이터 리스트 ● 항목 NO.35	오버드라이브 스위치를 ON에 위치	OD	● 오버드라이브 스위치 또는 회로 하니스 불량
	오버드라이브 스위치를 OFF에 위치	OD-OFF	
파워/이코노미 절환 스위치 ● 데이타 리스트 ● 항목 NO.36	파워패턴을 선택한다.(저유 온시의 패턴 제어시를 포함)	파워	● 파워/이코노미 절환 스위치 또는 회로 하니스 불량
	이코노미 패턴을 선택	이코노미	
인히비터 스위치 ● 데이터 리스트 ● 항목 NO.34	"P" 레인지 시프트	P	● 인히비터 스위치 조정불량 ● 인히비터 스위치 또는 회로 하니스 불량 ● 매뉴얼 컨트롤 케이블 불량 ★ 선택레버가 작동되지 않을 때는 파킹 시프트 로크 장치를 점검할 것
	"R" 레인지 시프트	R	
	"N" 레인지 시프트	N	
	"D" 레인지 시프트	D	
	"2" 레인지 시프트	2	
	"L" 레인지 시프트	L	
차속 리드 스위치 ● 데이터 리스트 ● 항목NO.33	차량 정지 상태	0km/h	● 차량 정지 상태에서 고속신호가 출력 되는 경우는 차속 리드 스위치 불량 ● 그 밖에 경우는 차속리드 스위치 및 회로 하니스 불량
	30km/h로 주행시	30km/h	
	50km/h로 주행시	50km/h	
PCSV 듀티 ● 데이터 리스트 ● 항목 NO.45	D레인지, 공회전	50~70%	★ D레인지, 공회전 상태에서 액셀러레이터를 약간 밟으면 듀티가 30~50%로 될 것. ● TCU 불량 ● TPS 계통 불량 ● 액셀러레이터 페달 스위치 계통불량
	D레인지, 1속	30~50%	
	D레인지, 변속시	상황에 따라 변화	

점검항목	점검내용		불량시 추정 원인 (또는 조치)
	점검조건	정상 판정치	
댐퍼 클러치 슬립량 • 데이터 리스트 • 항목 NO.47	D레인지, 3속 1500rpm	200~300rpm	• 댐퍼 클러치 불량 • 점화신호 또는 펄스 제너레이터 B계통 불량 • 트랜스미션 유압 부적정 • DCCSV 불량
	D레인지, 3속 3500rpm	30~50rpm	
DCCSV 듀티 • 데이터 리스트 • 항목 NO.49	D레인지, 3속 1500rpm	0%	• TCU 불량 • TPS 계통 불량 • 펄스 제너레이터 B계통 불량
	D레인지, 3속 3500rpm	부하에 의한 변화	

③ 차종별 TCU 설치위치

❄ 베르나 TCU 설치 위치

❄ 아반떼 XD TCU 설치 위치

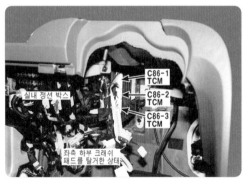

❄ 아반떼 XD 2.0 TCU 설치 위치

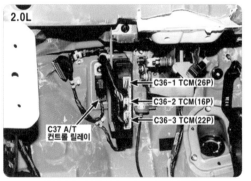

❄ 투스카니 2.0 TCU 설치 위치

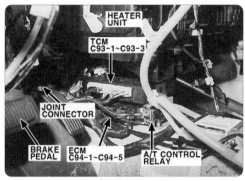

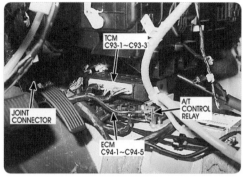

❖ EF 쏘나타 V6 TCU 설치 위치　　　　　❖ 그랜저 XG 2.5 TCU 설치 위치

07 자동변속기 입·출력 센서 점검

① 자동변속기 입·출력 센서(펄스 제너레이터 A/B) 점검 방법

1. 기능

① **펄스 제너레이터 A** : 변속시 유압제어를 위하여 킥다운(급가속시 강제 다운 시프트 되는 현상) 드럼의 회전수를 검출하는 자기 유도형 발전기형식이다. 배선 색깔이 연두색이며, 길이가 약간 길다.

② **펄스 제너레이터 B** : 주행속도 감지를 위하여 트랜스퍼 구동기어의 회전속도를 검출한다. 배선 색깔이 연두색 바탕에 검정색이 삽입되어 있다.

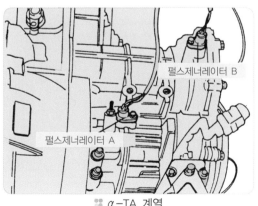

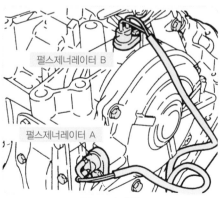

❖ α-TA 계열　　　　　　　　　　　　❖ F4A3계열

2. 점검 방법

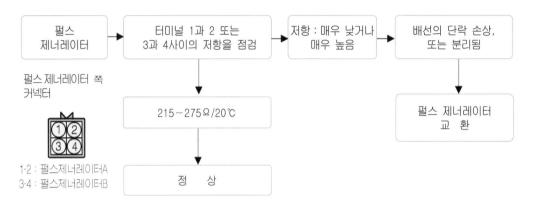

펄스 제너레이터 쪽
커넥터

1-2 : 펄스제너레이터A
3-4 : 펄스제너레이터B

※ 펄스 제너레이터(입출력 센서) 점검

※ 펄스 제너레이터 설치 위치

③ 자동변속기 입·출력 센서 고장시 일어날 수 있는 현상

예상원인		고장	출발이 부적절함(2단 등에서 출발됨)	끌림이 과도하거나 공회전이 불안정함	1-2단 혹은 3-4단 변속시 과도한 충격진동이 발생함	2-3단 혹은 4-3단 변속시 과도한 진동충격이 발생함	고단 변속시 과도한 진동 충격이 발생함	D-2, 저단변속시 과도한 진동 충격이 발생함	고단 변속시 엔진 rpm이 갑자기 증가함	3-2변속시 엔진 rpm이 갑자기 증가하거나 진동이 과도함	냉간시 과도한 진동, 충격이 이상	과도한 진동, 충격이 이상음(앞에서 서술한 것을 제외함)	댐퍼 클러치가 작동치 않음	저단기어일 때 고부하 작동시 비정상적인 소음이 있음	컨버터 하우징에서 비정상적인 소음이 발생함	컨버터 하우징에서 기계적인 소음이 발생함	트랜스액슬케이스내부에서 비정상적인 소음이 발생함	3단기어에 고정됨
			주행이 불가능하거나 비정상적이다(시동 후)												비정상적인 소음, 기타			
	21	인히비터 스위치의 작동불량, 와이어링의 손상, 배선분리, 조정불량	×															×
	22	TPS 작동불량 혹은 조정불량			×	×	●	×	●	×	×	×	×					
	23	펄스제너레이터(A)가 손상, 혹은 배선 분리, 회로가 단락됨.			×	×	×	×	●	×		×	×					×
오일 압력 계통 / 마찰 부품 포함	24	펄스제너레이터(B)가 손상, 혹은 배선 분리, 회로가 단락됨.										×	×					×
	25	킥다운 서보 스위치의 작동불량			×						×							×
	26	SCSV-S나 B가 손상되었거나 배선이 분리 혹은 회로단락 혹은 밸브가 고착됨(밸브개방)																×
	27	점화신호 계통의 작동불량			×	×	×	×	×	×	×							
	28	접지시킨 접지 스트랩 불량												×				×
	29	PCSV가 손상, 회로단락, 배선이 분리됨			×	×	×	×										×
	30	PCSV가 손상되거나 밸브 개방 혹은 고착됨.									×							×
	31	DCCSSV가 손상되거나 와이어링 분리됨 (밸브 폐쇄)											×					
	32	DCCSSV의 회로가 단락되었거나 고착됨 (밸브 개방)											×	×				×
	33	OD 스위치의 작동불량																
	34	아이들 스위치의 작동불량 혹은 조정불량	×	×											×			
	35	오일 온도 센서의 작동불량											×	×	×			
	36	리드 스위치의 작동불량																
	37	점화 스위치의 접촉불량																×
	38	TCU의 작동불량	×	×	×	×	×	×	×	×	×	×	×	×				×

99

구분	No	예상원인	스타터모터 작동불량	전진/후진 이동이 불가능함	전진 이동이 불가능함	후진 이동이 불가능함	N→D혹은 R로 변속시 엔진이 정지함	D에서 클러치스립스톨 rpm이 너무 높음)	R에서 클러치스립스톨 rpm이 너무 높음)	스톨 rpm이 너무 낮음	차량이 P나 N에서 움직임	N·D、N·R 사이에서 엔진이 시동되거나 차량이 움직임	주차가 되지 않음	D-2-L-R로 변속시 비정상적인 진동 충격이 있씀	2단에서 3단으로 변속이 안됨	4단으로 변속이 안됨	OD스위치가 작동치 않음	변속패턴과 같이 변속되지 않음(변속은 가능함)
		고장 → (예상원인 ↓)	주행이 불가능하거나 비정상적이다(출발 전)												연속시 충격이 발생함(시동 후)			
	21	인히비터 스위치의 작동불량, 와이어링의 손상, 배선분리, 조정불량	✕								✕	✕		✕	✕	✕		
	22	TPS 작동불량 혹은 조정불량										✕	✕	✕				
	23	펄스제너레이터(A)가 손상, 혹은 배선 분리, 회로가 단락됨.																
	24	펄스제너레이터(B)가 손상, 혹은 배선 분리, 회로가 단락됨.				✕												✕
오일압력계통 / 마찰부품 포함	25	킥다운 서보 스위치의 작동불량																
	26	SCSV-S나 B가 손상되었거나 배선이 분리 혹은 회로단락 혹은 밸브가 고착됨(밸브개방)																
	27	점화신호 계통의 작동불량																
	28	접지시킨 접지 스트랩 불량																
	29	PCSV가 손상, 회로단락, 배선이 분리됨												✕				
	30	PCSV가 손상되거나 밸브 개방 혹은 고착됨.		●	●	●				✕				✕		✕		
	31	DCCSSV가 손상되거나 와이어링 분리됨 (밸브 폐쇄)																
	32	DCCSSV의 회로가 단락되었거나 고착됨 (밸브 개방)					●											
	33	OD 스위치의 작동불량														✕	✕	
	34	아이들 스위치의 작동불량 혹은 조정불량												✕				
	35	오일 온도 센서의 작동불량																
	36	리드 스위치의 작동불량																
	37	점화 스위치의 접촉불량																
	38	TCU의 작동불량												✕	✕	✕		✕

④ 차종별 입·출력 센서 설치위치

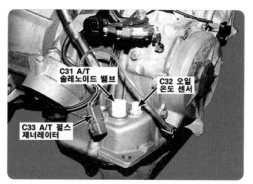

❇ 베르나 펄스 제너레이터

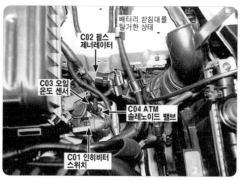

❇ 아반떼 XD 1.5 펄스 제너레이터

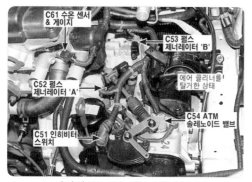

❇ 아반떼 XD 2.0 펄스 제너레이터

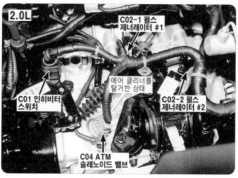

❇ 투스카니 2.0 펄스 제너레이터

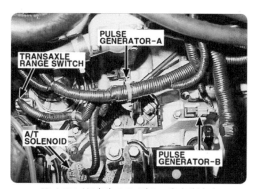

❇ EF 쏘나타 2.0 펄스 제너레이터

❇ 자동변속기 입·출력 센서 점검 사진

101

08 자동변속기 입·출력 센서 파형 점검

동영상

1 Hi-DS 스캐너를 이용한 속도 센서(펄스제너레이터) 파형 측정

1. 테스터 연결 방법

① **배터리 전원선** : 붉은색을 ⊕ 단자 기둥에, 검정색을 ⊖ 단자 기둥에 연결한다.
② **멀티 테스터 리드** : 테스터 리드를 펄스제너레이터 B의 출력에 연결하고 접지선을 엔진 본체에 접지시킨다.

:: Hi-DS Scanner 본체

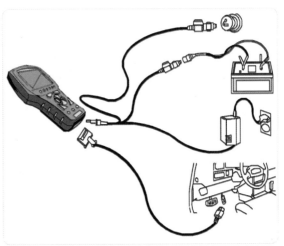
:: Hi-DS Scanner 본체 전원 공급

2. 측정 순서

:: Hi-DS Scanner 제품사 로고

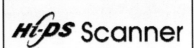

S/W Version :	GS120KOR
Release Date :	2001 . 10 . 10

Press any key to continue ...

:: 소프트웨어 버전 화면

① 엔진을 워밍업 시킨 후 공회전 시킨다.

② **전원 ON** : Hi-DS 스캐너에 전원을 연결한 후 POWER ON 버튼(●)을 선택하면 LCD 화면에 제품명 및 제품 회사의 로고가 나타나며, 3초 후 제품명 및 소프트웨어 버전 출력 화면이 나타난다. 이때 Enter 버튼(ENT)을 누르면 기능선택 화면으로 진입 된다.

③ 기능 선택 화면에서 커서를 2번 스코프 / 미터 / 출력 위에 놓고 엔터 키를 치면 공 구 상자 모드로 들어가게 되고 다시 커서를 1번 오실로스코프 위에 놓고 엔터키를 치 면 스코프 모드로 들어가게 된다.

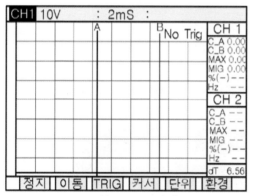

오실로스코프 화면

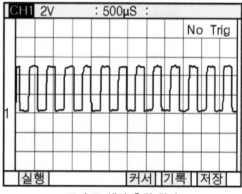

속도 센서 출력 화면

3. 파형 분석

① 최저 전압은 0V에 가까워야 한다.

② 최고 전압은 전원 전압(차량에 따라 5V, 12V)에 가까워야 한다.

③ 전압의 변화는 차량의 속도가 일정할 때 규칙적으로 이루어져야 한다.

④ 차량의 속도에 따라 주파수가 달라진다.

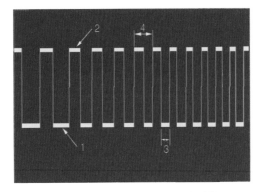

:: 아반떼 1.5 DOHC 차속 센서 파형

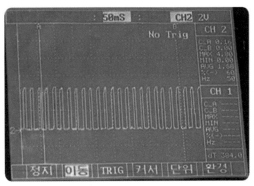

:: 스캐너 화면에 표출된 차속 센서 파형

❷ Hi-DS를 이용한 속도 센서(펄스제너레이터) 파형 측정

1. 테스터 리드의 명칭

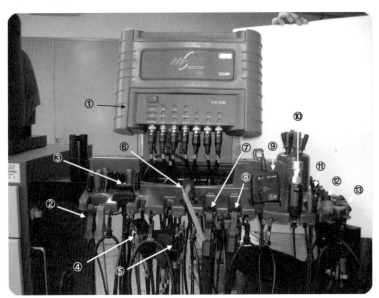

:: 계측 모듈과 테스터 리드

① **계측 모듈**(Intelligent Box, I) : 장비에서 모든 신호의 측정과 계측을 담당
② **배터리 케이블** : 모듈에 전원 연결
③ **DLC 케이블** : 스캔툴 기능 사용시 자기진단 커넥터에 연결되는 케이블
④ **오실로스코프 프로브 1** : 스코프 파형을 위한 프로브로 보통 6개의 프로브가 공급되며
  1~3번 채널

⑤ **오실로스코프 프로브** 2 : 스코프 파형을 위한 프로브로 보통 6개의 프로브가 공급되며 4~6번 채널

⑥ **진공 프로브** : 매니폴드 진공과 같은 부압을 측정

⑦ **대전류 프로브** : 30A 이상의 큰 전류 측정시 사용 최대 1,000A까지 측정이 가능하다.

⑧ **소전류 프로브** : 30A 이하의 전류 측정

⑨ **압력 센서** : 각종 압력 측정(압축압력, 오일압력, 연료압력, 베이퍼라이저 1차 압력)센서

⑩ **압력 측정 커넥터** : 각종 압력 측정(압축압력, 오일압력, 연료압력, 베이퍼라이저 1차 압력) 연결구

⑪ **멀티미터 프로브** : 전압, 저항, 주파수, 듀티, 펄스 측정시 사용

⑫ **점화 2차 프로브(적색/흑색)** : 점화 2차를 측정하는 프로브로 정극성 고압선에 연결

⑬ **트리거 픽업** : 고압선의 점화 신호를 이용하여 트리거를 잡을 때 사용하며 1번 플러그 고압선에 연결하여 1번 실린더 점화 위치를 판단한다.

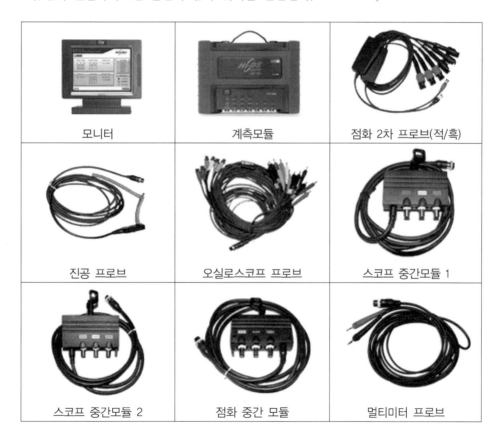

모니터	계측모듈	점화 2차 프로브(적/흑)
진공 프로브	오실로스코프 프로브	스코프 중간모듈 1
스코프 중간모듈 2	점화 중간 모듈	멀티미터 프로브

트리거 픽업	DLC 케이블	DLC 어댑터 케이블
배터리 케이블	DC전원 케이블	USB 케이블
연장 케이블(스코프 및 전류)	스코프 핀, 스프링 핀 및 집게	대전류 프로브
소전류 프로브	압력 센서	무선 리모컨 세트

2. 측정전 준비사항

① **파워 서플라이 전원을 켠다** −DC 전원 케이블 (+), (−)를 파워 서플라이에 연결 후(항시 연결시켜 놓는다) 파워 서플라이 전원 스위치를 ON으로 한다.

② **IB 스위치를 켠다** − 배터리 케이블을 IB에 연결하고, 다른 한쪽은 차량의 배터리(+), (−)단자에 연결한다. DC 전원 케이블을 IB에 연결한다. IB 스위치를 누른다.

③ **모니터와 프린터 전원을 켠다** – 전원 스위치를 ON으로 한다.
④ **PC 전원을 켠다** – PC 전원 스위치를 ON하면 부팅을 시작한다.
⑤ **Hi-DS 실행** – 부팅이 완료된 상태에서 모니터 바탕 화면에 Hi-DS 아이콘을 더블 클릭한다.

:: 초기 화면

:: 모니터 바탕 화면

⑥ **차종 선택** – 차종 선택 버튼을 클릭하여 차량의 정보를 입력한다.
　㉮ 저장되어 있는 차량 : 차대번호(지공용), 차량번호(일반용) 창에 있는 해당 데이터를 클릭하면 저장되어 있는 정보가 자동 설정된다.
　㉯ 새로운 차량 : 차대번호(지공용) 또는 차량번호(일반용) 창에서 일반차량을 선택 후 고객정보와 차종을 입력한다.

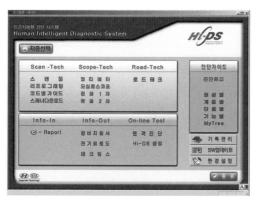
:: 초기 화면

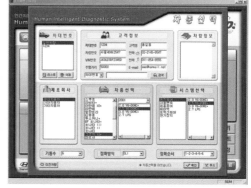
:: 차량선택 창

⑦ **차량 번호 및 차대 번호 입력**–글자를 붙여서 입력한다.
　【예】 경기 55 마 3859를 경기55마3859로

⑧ 고객명, 전화번호, VIN 번호, 주행거리 입력 및 검색방법은 차량번호 입력, 검색하는 방법과 동일하다.

∷고객 정보 창

3. 측정 방법

① **배터리 전원선** : 붉은색을 ⊕, 검은색을 ⊖에 연결한다.

② **오실로스코프 프로브** : 컬러 프로브를 펄스 제너레이터 A 단자 또는 B 단자에, 흑색 프로브를 차체에 접지한다.

③ 엔진을 워밍업 시킨 후 공회전 시킨다(측정시 선택 레버의 위치를 D 레인지 또는 L레인지에 선택해야만 펄스 파형을 측정할 수 있다.).

③ 오실로스코프 항목을 선택한다.

④ 환경설정 버튼 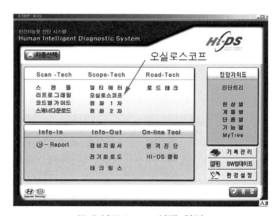을 눌러 측정 제원을 설정한다(UNI, 1V, AC, 시간축 : 1.0~1.5ms, 일반 선택). 모니터 하단의 채널 선택을 펄스 제너레이터 A 또는 B의 출력 단자에 연결한 채널선과 동일한 채널선으로 선택한다(확인 필수).

∷오실로스코프 선택 화면

∷오실로스코프 환경 설정 화면

⑤ 마우스의 왼쪽과 오른쪽 버튼을 번갈아 눌러 커서 A와 커서 B의 실선 안에 펄스 제너 레이터 출력 파형이 들어오도록 하면 투 커서 기능이 작동되어 모니터 오른쪽에 데이 터가 지시된다. 표시된 파형과 데이터를 가지고 내용을 분석하여 판정한다.

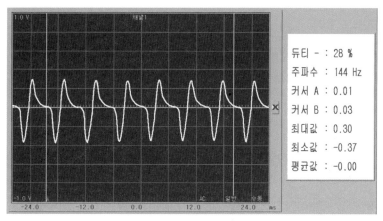

:: 펄스 제너레이터 A 출력 파형

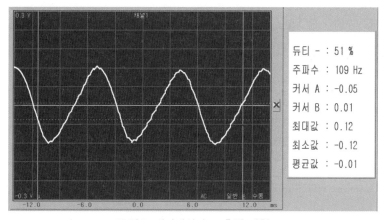

:: 펄스 제너레이터 B 출력 파형

4. 펄스 제너레이터 파형의 분석법

① **전압이 매우 낮을 때** – 펄스 제너레이터의 불량 또는 장착 불량하다.

② **파형에 잡음이 생길 때** – 센서 부분에 이물질 부착 또는 와이어 링의 접지가 불량하다.

③ **전압이 없음** – 센서의 불량 또는 배선의 단선

■ 자동 변속기 종류와 차종

KM	엑셀, 엘란트라, 쏘나타(I, II, III), 그랜저, 다이너스티
α, β	엑센트, 아반떼, 티뷰론
개량 α, β	클릭, 베르나, 아반떼XD, 라비타 1.5, 1.8(β)
HIVEC	아반떼XD(1.8/2.0), 투스카니, EF쏘나타, 그랜저XG, 에쿠스
JATCO	아토스(4속)
AISIN	아토스(3속), 스타렉스, 포터, 리베로, 갤로퍼

❖ α-TA 계열

❖ F4A3계열

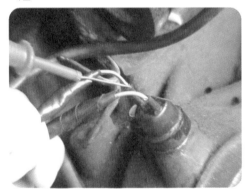

❖ 탐침봉으로 점검방법

09 자동변속기 오일 압력 점검

동영상

동영상

1 자동변속기 오일 압력 시험 방법

① 트랜스 액슬을 완전히 워밍업 시킨다.

② 잭으로 차량을 들어 올려 앞바퀴가 돌아갈 수 있도록 한다.

③ 엔진 태코미터를 연결하고 보기 좋은 곳에 위치시킨다.

④ 오일 압력 게이지와 어댑터를 각 오일 압력 배출구에 연결한다. 후진 압력, 프런트 클러치 압력, 로 리버스 브레이크 압력을 측정할 때는 30kgf/cm²용 게이지를 사용하여야 한다.

⑤ 다양한 조건에서 오일 압력을 점검하여 측정값이 "규정 압력표"에 있는 규정 범위 내에 있는가를 확인한다. 오일 압력이 규정범위를 벗어나면 "오일 압력이 정상이 아닐 때 조치방법"을 참조하여 수리한다.

엔드 클러치 압력 체크용
로우&리버스 압력 체크용

✂ 압력 플러그 위치(1)

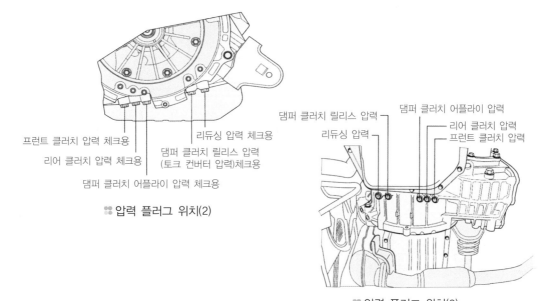

프런트 클러치 압력 체크용
리어 클러치 압력 체크용
댐퍼 클러치 어플라이 압력 체크용
리듀싱 압력 체크용
댐퍼 클러치 릴리스 압력
(토크 컨버터 압력)체크용

✂ 압력 플러그 위치(2)

댐퍼 클러치 릴리스 압력
리듀싱 압력
댐퍼 클러치 어플라이 압력
리어 클러치 압력
프런트 클러치 압력

✂ 압력 플러그 위치(3)

111

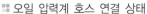

❖ 오일 압력계 호스 연결 상태

❖ 자동변속기 시뮬레이터 오일 압력계 모습

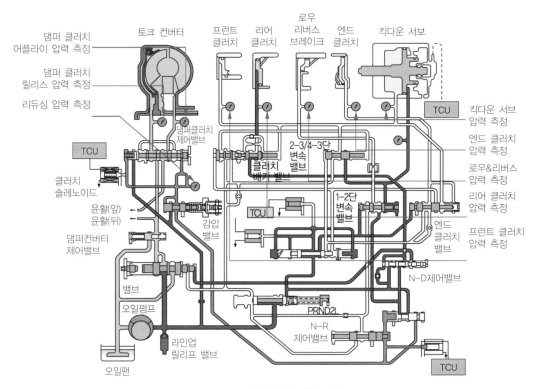

❖ 자동변속기 유압 회로도

■ 오일 압력 규정값(아반떼 XD 1.5)

번호	조 건			규정 오일 압력(kgf/cm²)							
	선택 레버 위치	엔진 속도 (rpm)	변속 위치	① 감압	② 서보 공급압	③ 리어 클러치 압력	④ 프런트 클러치 압력	⑤ 엔드 클러치 압력	⑥ 로우리버스 브레이크 압력	⑦ 토크 컨버터 압력	⑧ 댐퍼클러치 압력
1	N	공회전	중립	4.1 ~4.3	–	–	–	–	–	–	–
2	D(스위치ON)	약 2,500	4단 기어	4.1 ~4.3	8.7 ~9.1	–		8.5 ~8.9			6.4~7.0 (D/C작동시)
3	D	약 2,500	3단 기어	4.1 ~4.3	8.6 ~9.0	8.6 ~9.0	8.4 ~8.8	8.6 ~9.0			6.4~7.0 (D/C작동시)
4	D	약 2,500	2단 기어	4.1 ~4.3	8.7 ~9.1	8.6 ~9.0					6.4~7.0 (D/C작동시)
5	L	약 2500	1단 기어	4.1 ~4.3	–	8.6 ~9.0	–	–	3.5 ~4.3	4.3 ~4.9	2.4~2.8 (D/C작동시)
6	R	약 2,500	후진	4.5 ~4.7	–	–	18.5 ~19.5	–	18.5 ~19.5	4.4 ~5.0	2.7~3.5 (D/C작동시)

※ ① –는 0.2(0.3)kgf/cm²이하임. ( )는 후진
　② 스위치 ON : 오버 드라이브 스위치를 ON 시킨다.
　③ 스위치 OFF : 오버 드라이브 스위치 OFF 시킨다.
　④ 상온에서의 유압은 규정치를 초과할 수 있다.

② 오일 압력이 정상이 아닐 때 조치방법

고장현상	가능한 원인	정 비
1. 라인 압력이 너무 낮다 (혹은 너무 높다.) 【참고】 라인 압력은 "규정 오일 압력표"의 ②, ③, ④, ⑤, ⑥번의 오일압력을 의미한다.	① 오일 필터의 막힘 ② 레귤레이터 밸브 오일 압력 (라인압력)의 조정이 불량함 ③ 레귤레이터 밸브가 고착됨 ④ 밸브 보디의 조임부가 풀림 ⑤ 오일펌프 배출 압력이 부적당함	① 오일 필터를 점검하여 막혔으면 오일 필터를 교환한다. ② 라인압력3(리어 클러치 압력)을 측정하여 압 력이 규정값과 일치하지 않으면 라인압력을 재조정하거나 필요시에는 밸브 보디를 교환 한다. ③ 레귤레이터 밸브의 작동을 점검하여 수리하 고 필요시에는 밸브보디 어셈블리를 교환한 다. ④ 밸브 보디의 조임 볼트와 장착 볼트를 조인다. ⑤ 오일 펌프기어의 측면간극을 점검하여 필요 시에는 오일펌프 어셈블리를 교환한다.

고장현상	가능한 원인	정비
2. 감압이 부적당함	① 라인압력이 부적당함 ② 감압회로의 필터 (L-형상)가 이동 ③ 감압의 조정이 불량함 ④ 감압밸브가 고착됨 ⑤ 밸브 보디의 조임 부위가 풀림	① 리어 클러치 압력(라인압력)을 점검하여 라인압력이 규정값을 벗어나면 1번에서 서술한 항목을 점검한다. ② 밸브 보디 어셈블리를 분해하여 필터를 점검하고 필터가 막혔으면 교환한다. ③ 감압을 점검하여 규정값을 벗어나면 1번 에서 서술한 항목을 점검한다. ④ 감압밸브의 작동을 점검하여 필요시에는 수리 혹은 밸브 보디 어셈블리를 교환한다. ⑤ 밸브 보디 조임 볼트와 장착 볼트를 조인다.
3. 킥다운 브레이크 압력이 부적당하다.	① 슬리브 혹은 킥다운 서보 피스톤의 D-링 혹은 실링의 기능이 불량함 ② 밸브 보디 조임 부위가 풀림 ③ 밸브 보디 어셈블리의 기능이 불량함	① 킥다운 서보를 분해하여 실링 혹은 D-링이 손상되었는가를 점검하고 실링 혹은 D-링이 잘라졌거나 파인 흔적이 있으면 교환한다. ② 밸브 보디 조임 볼트와 장착 볼트를 조인다. ③ 밸브 보디 어셈블리를 교환한다.
4. 프런트 클러치 압력이 부적당하다.	① 슬리브 혹은 킥다운 서보 피스톤의 D링 혹은 실링의 기능이 불량함 ② 밸브 보디 장착부위가 풀림 ③ 밸브 보디 어셈블리의 기능이 불량함 ④ 프런트 클러치 피스톤, 리테이너가 마모되거나 1번 D-링의 기능이 불량함. ⑤ 오일펌프 개스킷 손상 확인 ⑥ 오일펌프 실링 2개 손상 확인	① 킥다운 서보를 분해하여 실링 혹은 D-링이 손상되었는가를 점검하고 잘라졌거나 파인 흔적이 있으면 실링이나 D-링을 교환한다. ② 밸브 보디 조임 볼트와 장착 볼트를 조인다. ③ 밸브 보디 어셈블리를 교환한다. ④ 트랜스액슬을 분해하여 프런트 클러치, 피스톤과 리테이너 내부의 마모여부 및 D-링의 손상여부를 점검하여 마모나 손상이 되었으면 피스톤, 리테이너, D-링, 실링을 교환한다.
5. 엔드 클러치 압력	① 4번 혹은 6번 D링, 엔드 클러치의 5번 실링 혹은 파이프의 7번 O-링이 불량함 ② 밸브 보디 조임부위가 풀림 ③ 밸브 보디 어셈블리의 기능이 불량함	① 엔드 클러치를 분해하여 실링, 피스톤의 D-링, 리테이너의 실링을 점검 하여 절단, 패인 흔적, 긁힘 혹은 손상 되었으면 교환한다. ② 밸브 보디의 조임 볼트 및 장착 볼트를 조인다. ③ 밸브 보디의 조임 볼트 및 장착 볼트를 조인다.
6. 로우-리버스 브레이크 압력이 부적당하다.	① 밸브보디와 트랜스액슬 사이의 O-링이 손상되거나 분실됨 ② 밸브 보디 조임부위가 풀림 ③ 밸브 보디 어셈블리의 기능이 불량함 ④ 로우-리버스 브레이크의 3번 O-링이나 리테이너의 2번 O-링의 기능이 불량함	① 밸브 보디 어셈블리를 탈거하여 어퍼 밸브 보디의 상부면에 있는 O링이 손상이나 분실되지 않았는지 점검하고 필요시에는 O링을 교환한다. ② 밸브 보디 조임 볼트와 장착 볼트를 조인다. ③ 밸브 보디 어셈블리를 교환한다. ④ 트랜스액슬을 분해하여 O-링의 손상 을 점검하고 O-링이 절단, 패인흔적, 긁힘, 혹은 손상이 있으면 교환한다.

고장현상	가능한 원인	정 비
7. 토크 컨버터의 압력이 부적당하다.	① 댐퍼 클러치 조절 솔레노이드 밸브 혹은 댐퍼 클러치 조절 밸브가 고착됨 ② 오일 쿨러 및 혹은 파이프가 막히거나 누설됨 ③ 입력샤프트의 실링이 손상됨 ④ 토크 컨버터의 기능 불량	① 댐퍼 클러치 장치와 DCCSV의 작동을 점검한다. ② 필요에 따라 쿨러 및 파이프를 수리 혹은 교환한다. ③ 트랜스액슬을 분해하여 실리의 손상을 점검하고 손상되었으면 실링을 교환한다.

※ 거버너 압력은 현재 사용하고 있는 전자제어 자동변속기에는 거버너가 없는 방식이다. 거버너는 전진 3단 유압제어 자동 변속기에 장착되어 있고 현재 사용하고 있는 자동변속기는 전진 4단 후진 1단 전자제어 자동변속기로서 거버너가 없으므로 거버너 압력을 측정할 수 없다. 시험장에서는 거버너 압력 측정 대신 다른 라인압 측정으로 대체 할 것이다.

③ 오일 압력을 측정하기 위한 시뮬레이터

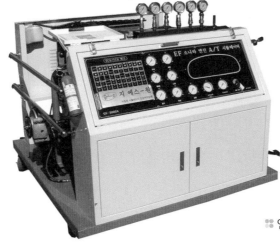

❊❊ 엔진/자동변속기 시뮬레이터

프런트 클러치

리어 클러치

킥다운 브레이크

로우 리버스 브레이크

엔드 클러치

토크컨버터 공급

115

10 인히비터 스위치 점검

① 인히비터 스위치의 기능

인히비터 스위치는 변속레버를 P 레인지 또는 N 레인지의 위치에서만 엔진이 시동되도록 하고 그 외의 레인지 위치에서는 시동이 안 되도록 하며, R 레인지에서는 후퇴등이 점등되도록 하는 것이다.

② 인히비터 스위치 쪽 커넥터에서 점검 방법

1. F4A2 계열

단자번호	P	R	N	D	2	L	연결단자
1					●		TCU
2			●				TCU
3	●						TCU
4	●	●	●	●	●	●	점화 스위치
5						●	TCU
6				●			TCU
7		●					TCU
8	●		●				점화 스위치
9	●		●				스타터 모터
10		●					점화 스위치
11		●					후진등

2. F4A3 계열

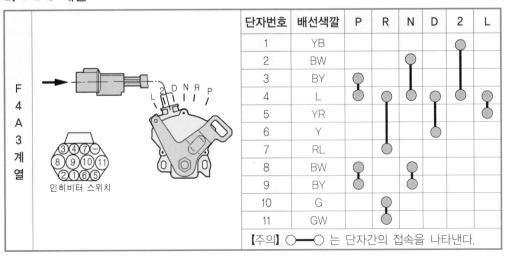

인히비터 스위치

단자번호	배선색깔	P	R	N	D	2	L
1	YB					●	
2	BW			●			
3	BY	●					
4	L		●	●	●	●	●
5	YR						●
6	Y				●		
7	RL			●			
8	BW	●		●			
9	BY	●		●			
10	G		●				
11	GW		●				

【주의】 ○──○ 는 단자간의 접속을 나타낸다.

🎯 인히비터 스위치 점검

🎯 인히비터 스위치 점검

③ 검사 블록 선도

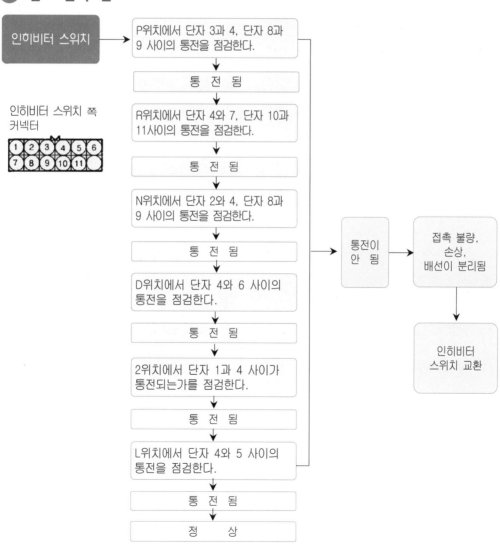

인히비터 스위치

인히비터 스위치 쪽 커넥터

| 1 | 2 | 3 | 4 | 5 | 6 |
| 7 | 8 | 9 | 10 | 11 | |

P위치에서 단자 3과 4, 단자 8과 9 사이의 통전을 점검한다.

통 전 됨

R위치에서 단자 4와 7, 단자 10과 11사이의 통전을 점검한다.

통 전 됨

N위치에서 단자 2와 4, 단자 8과 9 사이의 통전을 점검한다.

통 전 됨

D위치에서 단자 4와 6 사이의 통전을 점검한다.

통 전 됨

2위치에서 단자 1과 4 사이가 통전되는가를 점검한다.

통 전 됨

L위치에서 단자 4와 5 사이의 통전을 점검한다.

통 전 됨

정   상

통전이 안 됨

접촉 불량, 손상, 배선이 분리됨

인히비터 스위치 교환

④ 각종 차량의 인히비터 스위치

:: 아반떼 XD (1.5)

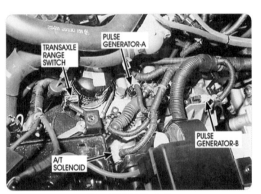

:: 아반떼 XD (2.0)

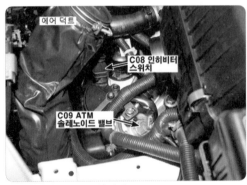

:: 싼타페 2.0 2.7

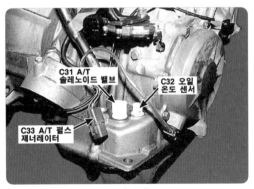

:: 그랜저 XG 2.5

:: 베르나

:: 라비타

제**4**장

구동축 및 추진축

01 앞 등속축(드라이브 샤프트) 교환

1 드라이브 샤프트 탈착 방법

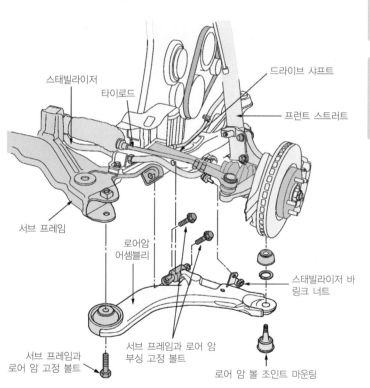

동영상

동영상

드라이브 샤프트

프런트 스트러트

스태빌라이저

타이로드

서브 프레임

로어암
어셈블리

스태빌라이저 바
링크 너트

서브 프레임과
로어 암 고정 볼트

서브 프레임과 로어 암
부싱 고정 볼트

로어 암 볼 조인트 마운팅

🟦 드라이브 샤프트의 설치 위치

드라이브 샤프트의 설치 위치

드라이브 샤프트의 설치 위치

① 프런트 휠 및 타이어를 탈거한다.
② 트랜스 액슬 하단부의 드레인 플러그와 와셔를 분리하여 오일을 배출시킨다.

휠 및 타이어 탈착

휠 및 타이어 탈착 후 모습

③ 브레이크를 작동시킨 상태에서 프런트 허브의 분할 핀을 탈거한 후 허브 너트를 탈거한다.
④ 타이로드 엔드(볼 조인트) 풀러를 사용하여 조향 너클에서 타이로드 엔드를 탈거한다.

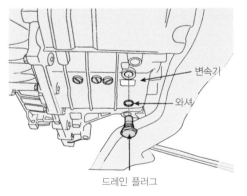
변속기
와셔
드레인 플러그
변속기 오일 배출

❖ 허브 너트 위치

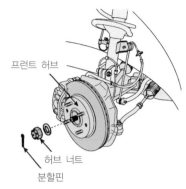

❖ 허브 너트 탈거

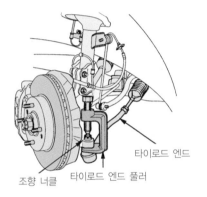

❖ 타이로드 엔드 탈거

❖ 타이로드 엔드 설치 위치

⑤ 조향 너클에서 휠 스피드 센서를 탈거한다.
⑥ 조향 너클에서 로어 암 고정 볼트를 탈거한다.

❖ 휠 스피드 센서 설치 위치

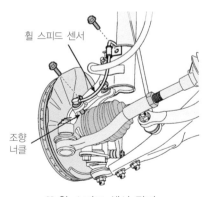

❖ 휠 스피드 센서 탈거

121

⑦ 플라스틱 해머를 이용하여 디스크 허브에서 드라이브 샤프트를 탈거한다. 이 때 디스크 허브를 차량의 바깥쪽으로 밀어서 드라이브 샤프트를 탈거한다.

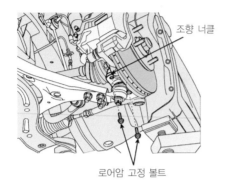

조향 너클

로어암 고정 볼트

▓▓ 로어 암 고정 볼트 탈거

▓▓ 로어 암 탈거

▓▓ 디스크 허브 탈거

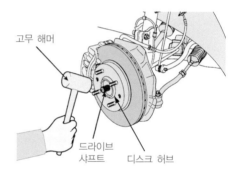

고무 해머

드라이브 샤프트   디스크 허브

▓▓ 디스크 허브 탈거

⑧ 변속기 케이스와 조인트 케이스 사이에 드라이버를 끼워서 드라이브 샤프트를 탈거한다.

⑨ 반대편의 변속기 케이스와 조인트 케이스 사이에도 드라이버를 끼워서 드라이브 샤프트를 탈거한다.

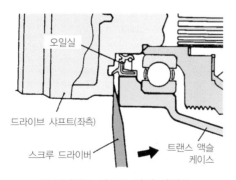

오일실

드라이브 샤프트(좌측)

스크루 드라이버

트랜스 액슬 케이스

▓▓ 드라이브 샤프트 탈거 단면도

▓▓ 드라이브 샤프트 탈거

✽ 드라이브 샤프트 탈거

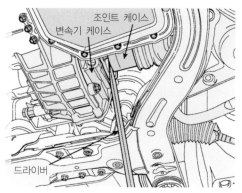

✽ 드라이브 샤프트 탈거

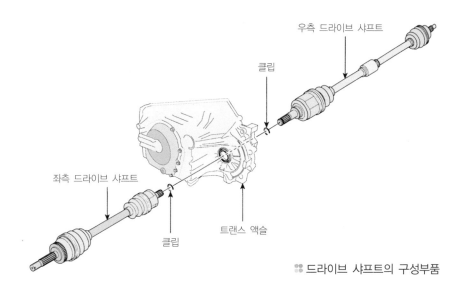

✽ 드라이브 샤프트의 구성부품

② 드라이브 샤프트 점검 방법

① 버필드 조인트(B.J) 부분에 심한 유격이 있는지 점검한다.

② 벤딕스 와이스 유니버셜 조인트(T.J) 부분이 축방향으로 부드럽게 움직이는지 점검한다.

✽ 벤딕스 와이스 유니버셜 조인트(T.J) 점검

③ 벤딕스 와이스 유니버셜 조인트(T.J) 부분이 반경 방향으로 돌아가는지 점검한다. 느껴질 정도의 유격이 있으면 안된다.

④ 다이내믹 댐퍼의 균열 및 마모를 점검한다.

⑤ 드라이브 샤프트 부트의 균열 및 마모를 점검한다.

123

③ 드라이브 샤프트 조립 방법

① 드라이브 샤프트 스플라인부와 트랜스 액슬(변속기) 접촉면에 기어오일을 바른다.
② 드라이브 샤프트를 조립한 후 손으로 잡아 당겨 빠지지 않는지 점검한다.
③ 조향 너클에 드라이브 샤프트를 조립한다.
④ 조향 너클과 로어암 어셈블리 고정 볼트를 체결한다.

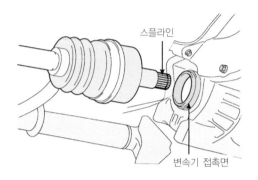

기어 오일 바르는 위치

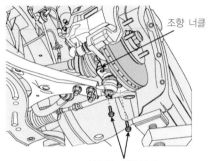

로어 암 고정 볼트 탈거

⑤ 조향 너클에 타이로드 엔드를 조립한다.
⑥ 조향 너클에 휠 스피드 센서를 조립한다.
⑦ 와셔의 볼록면이 바깥쪽을 향하도록 하고 허브
　너트와 분할 핀을 조립한다.
⑧ 프런트 휠 및 타이어를 장착한다.

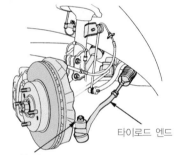

타이로드 엔드 조립

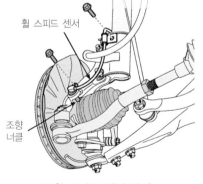

휠 스피드 센서 탈거

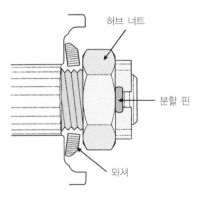

허브 너트/분할 핀 체결

4 드라이브 샤프트의 부트 교환 방법

1. 분해

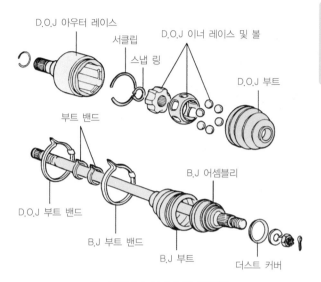

동영상

드라이브 샤프트의 구성품

BJ 어셈블리

DOJ 어셈블리

① 더블 오프셋 조인트(D.O.J) 부트 밴드를 탈거하고 더블 오프셋 조인트 아웃 레이스에서 부트를 당겨 분리한다.

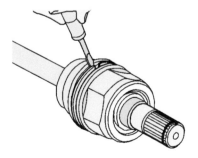

부트 밴드 탈거

125

② ⊖드라이버를 이용하여 서클립을 탈거한다.

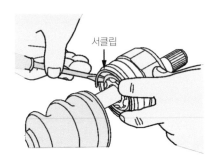

서클립

❈ 서클립 탈거

③ 더블 오프셋 조인트 아웃 레이스에서 드라이브 샤프트를 빼낸다.

④ 스냅 링을 탈거하고 이너 레이스, 케이지, 볼 어셈블리를 빼낸다.

⑤ 분해하지 않고 이너 레이스, 케이지, 볼을 청소한다.

⑥ 버필드 조인트(B.J) 부트 밴드를 탈거하고 더블 오프셋 조인트(D.O.J) 부트와 버필드 조인트 부트를 빼낸다. 이때 부트를 재사용하는 경우 테이프를 드라이브 샤프트의 스플라인부에 감아 부트를 보호한다.

스냅링

❈ 이너 레이스 어셈블리 탈거

❈ 이너 레이스 어셈블리

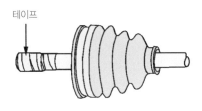

테이프

❈ 부트 탈거

2. 점검

① 더블 오프셋 아웃 레이스, 이너 레이스, 케이지, 볼의 녹 발생 및 손상을 점검한다.
② 스플라인의 마모를 점검한다.
③ 버필드 조인트 부트에 물이나 이물질이 유입되었는지 점검한다.

3. 조립

① 드라이브 샤프트의 스플라인(D.O.J측)에 테이프를 감아 부트의 손상을 방지한다.
② 그리스를 드라이브 샤프트에 도포한 후 부트를 장착한다.

D.O.J 부트와 B.J 부트 구분

액슬축 부트

③ 규정의 그리스를 이너 레이스와 케이지에 도포하고 이너 레이스와 케이지를 장착한다.
④ 규정의 그리스를 케이지에 도포하고 볼을 케이지에 장착한다.
⑤ 챔퍼 가공면이 그림에 나타낸 상태로 이너 레이스를 드라이브 샤프트에 장착하고 스냅
  링을 장착한다.

이너 레이스 케이지 조립

이너 레이스 샤프트에 조립

⑥ 버필드 조인트 아웃 레이스에 규정의 그리스를 도포하고 아웃 레이스를 드라이브 샤프
  트에 장착한다.

구 분	EF쏘나타 1.8/2.0M/T	EF쏘나타 2.5M/T
조인트	55 ± 3gr	60 ± 3gr
부트	55 ± 3gr	55 ± 3gr

127

⑦ 더블 오프셋 조인트 아웃 레이스에 규정의 그리스를 도포하고 클립을 장착한다.

구분	EF쏘나타 1.8/2.0M/T	EF쏘나타 2.5M/T
조인트	60 ± 3gr	60 ± 3gr
부트	40 ± 3gr	40 ± 3gr

⑧ 규정의 그리스를 검사할 때 닦아낸 양만큼 버필드 조인트에 첨가한다.

⑨ 부트를 장착한다.

⑩ 버필드 부트 밴드를 조인다.

⑪ 더블 오프셋 내의 공기를 조절하기 위하여 부트 밴드를 조일 때 부트 밴드간의 거리를 규정값으로 한다.

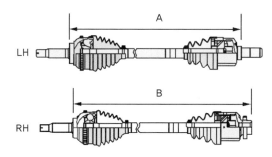

❖ 좌우측 부트간 거리

구분	좌측(LH)	우측(RH)
그랜저XG 2.0 M / T	521.2mm	538.9mm
그랜저XG 2.5 M / T	520.2mm	539mm

⑤ 실체 차량에서의 드라이브 샤프트의 설치위치

❖ 앞 등속축(액슬축) 분해

❖ 앞 등속축(액슬축) 설치 위치

02 후륜 구동 전부동식 액슬축 교환

1 구동축 지지방식

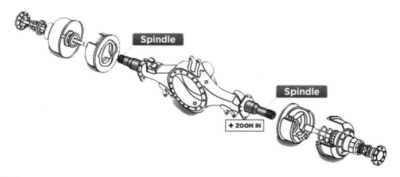

1. 전부동식

액슬 허브에 2개의 베어링이 끼워지며, 액슬축은 동력만 전달한다. 따라서 바퀴를 탈거하지 않고도 액슬축을 빼낼 수 있으며, 차량에 가해지는 하중 및 충격과 바퀴에 작용하는 작용력은 액슬 하우징이 받는다.

2. 반부동식

구동바퀴가 직접 액슬축 바깥쪽에 설치되며, 액슬축의 안쪽은 차동 사이드 기어와 스플라인으로 결합되고 바깥쪽은 리테이너를 고정시킨 허브 베어링과 결합된다. 따라서 내부 고정장치를 풀지 않고는 액슬축을 탈거할 수 없다.

3. 3/4 부동식

액슬축 바깥쪽 끝에 액슬 허브를 두고 액슬 하우징에 1개의 베어링을 설치하여 허브를 지지하는 방식이다.

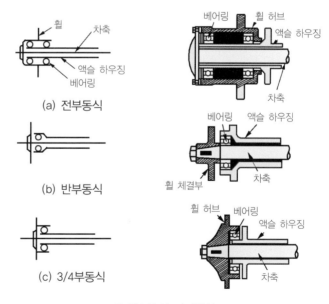

❖ 액슬축의 지지방식

② 전부동식 액슬축 교환방법

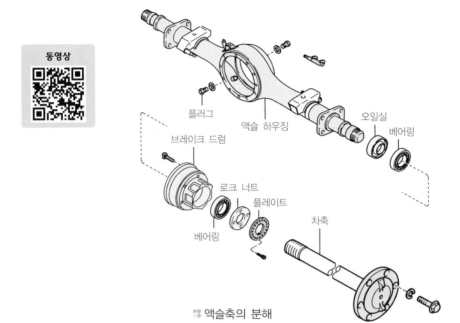

동영상

플러그
브레이크 드럼
베어링
로크 너트
플레이트
베어링
액슬 하우징
오일실
베어링
차축

⁚⁚ 액슬축의 분해

① 바퀴의 허브 플랜지 고정 볼트를 완전히 푼다.
② 액슬축을 해머 등으로 가볍게 친 다음 탈거한다.
③ 조립시는 베어링의 이상 유무를 확인하고 그리스를 주입한 다음 조립하고 액슬축에 그리스를 바른 다음 조립한다.

전부동식
액슬축

⁚⁚ 액슬축 설치 위치

③ 후륜 구동 액슬 하우징

❈ 액슬 하우징

❈ 분해된 액슬 하우징

❈ 액슬 하우징 내부 모습

❈ 각종 액슬축

03 후륜 구동 추진축 교환

① 추진축 탈착 방법

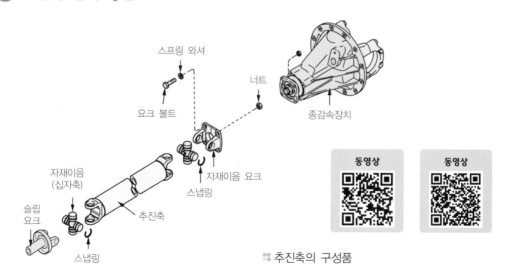
❈ 추진축의 구성품

131

추진축

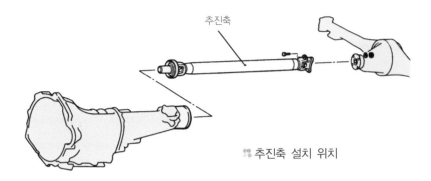

❉ 추진축 설치 위치

❉ 추진축 설치 위치

❉ 트랜스 액슬 부분 설치 위치

❉ 종감속 기어 부분 설치 위치

① 종감속 기어의 구동 피니언 플랜지와 자재 이음 요크에 일치 마크를 한 후 요크 볼트를 분리하여 추진축을 약간 아래로 기울여 뒤쪽으로 당겨 탈착한다.

이때 주의사항은 다음과 같다.

㉮ 차량의 뒤쪽을 낮추면 변속기 오일이 유출되므로 낮추지 않도록 한다.

㉯ 변속기 오일 실 립 부분이 손상되지 않도록 한다.

㉰ 변속기 내에 이물질이 들어가지 않도록 커버를 부착한다.

② 조립은 탈착의 역순에 의한다.

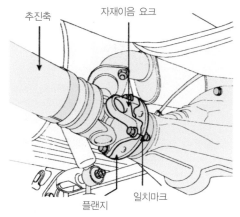

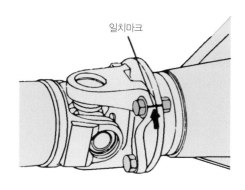

✤ 추진축의 일치 마크 표시

✤ 플랜지 볼트 위치

✤ 추진축을 화살표 방향으로 당긴다.

② 점검 방법

① 슬립 이음 요크, 플랜지 요크의 마모 · 손상 및 균열 등에 대해 점검한다.
② 추진축 요크의 마모 · 손상 및 균열을 점검한다.
③ 추진축의 찌그러짐 · 손상 및 균열을 점검한다.
④ 자재 이음의 작동이 원활한지를 점검한다.

04 차동 사이드 기어 심 교환

동영상

1 차동 사이드 기어 심 교환 방법

① 1단-2단 시프트 포크를 2단으로 변속한다.

② 3단-4단 시프트 포크를 4단으로 변속한다.

③ 5단-후진 시프트 레일 쪽으로 선택 레버를 밀면서 1단-2단 시프트 레일과 포크 어셈블리를 분리한다.

❈ 스프링 핀 분해

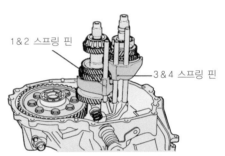

1 & 2 스프링 핀

3 & 4 스프링 핀

❈ 스프링 핀 분해

1 & 2 변속레일

1 & 2 변속포크

❈ 1단-2단 변속 레일 분해

1 & 2단 시프트레일 및 포크

5 & 후진 시프트 레일

3 & 4단 시프트 레일 및 포크

❈ 변속레일 및 포크 어셈블리

④ 1단-2단 쪽으로 선택 레버를 완전히 밀면서 3단-4단, 5단-후진 시프트 레일과 포크 어셈블리를 분리한다.

⑤ 베어링 리테이너를 분리한다.

⑥ 입력축 기어 어셈블리를 들어 올리고 출력축 기어 어셈블리를 분리한다.

3 & 4 변속레일

5 & 후진 변속레일

포크 어셈블리

❖ 3단-4단, 5단-후진 변속 레일 분해

입력축 어셈블리

출력축 어셈블리

❖ 입력축과 출력축 기어 분리

⑦ 차동장치 어셈블리를 분리한다.

⑧ 바이스에 차동기어 장치 케이스를 고정시킨다.

⑨ 차동기어 장치 드라이브 기어 지지 볼트를 탈거하고 차동기어 장치 케이스에서 탈거한다.

❖ 차동장치 어셈블리

❖ 차동장치 어셈블리 분리

❖ 종감속 기어 및 차동장치 어셈블리 분리

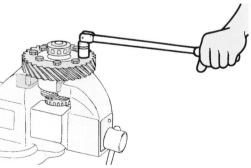

❖ 드라이브 기어 탈거

135

⑩ 특수공구를 사용하여 베어링을 탈거한다.

> **TIP** •• 탈거한 베어링을 재사용하지 않는다.

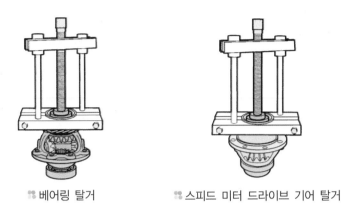

❈ 베어링 탈거   ❈ 스피드 미터 드라이브 기어 탈거

⑪ 펀치를 사용하여 로크 핀을 빼낸다.

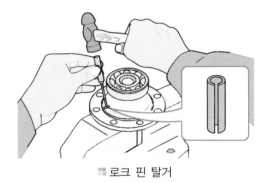

❈ 로크 핀 탈거

⑫ 피니언 샤프트를 빼낸다.
⑬ 피니언 기어, 와셔, 사이드 기어와 스페이서를 탈거한다.

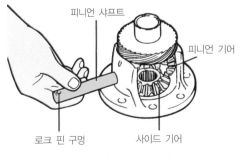

피니언 샤프트

피니언 기어

로크 핀 구멍   사이드 기어

❈ 피니언 샤프트 탈거

❈ 사이드 기어, 피니언 기어와 스페이서 탈거

⑭ 조립은 분해의 역순이다.

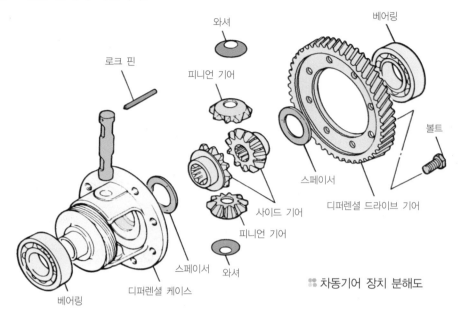

로크 핀
와셔
피니언 기어
베어링
볼트
스페이서
디퍼렌셜 드라이브 기어
사이드 기어
피니언 기어
와셔
스페이서
디퍼렌셜 케이스
베어링

❖ 차동기어 장치 분해도

2 사이드 기어 스러스트 간극 점검 방법

사이드 기어 스러스트 간극은 필러 게이지로 사이드 기어와 스러스트 스페이서 사이의 간극을 측정하며 규정값은 일반적으로 0.05~0.4mm이다. 조정은 스러스트 스페이서 두께를 가감하여 조정한다.

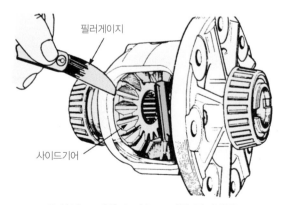

필러게이지
사이드기어

❖ 사이드 기어 스러스트 간극 점검방법

05 종감속기어 장치 백래시/접촉면 상태 점검

1 종감속 기어 및 차동기어 구성품

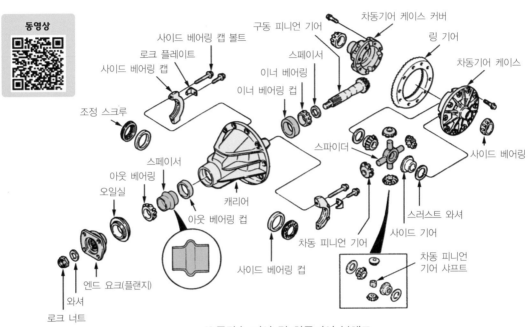

동영상

구동 피니언 기어
차동기어 케이스 커버
링 기어
사이드 베어링 캡 볼트
스페이서
차동기어 케이스
로크 플레이트
이너 베어링
사이드 베어링 캡
이너 베어링 컵
조정 스크루
스파이더
사이드 베어링
스페이서
아웃 베어링
캐리어
오일실
아웃 베어링 컵
스러스트 와셔
사이드 기어
사이드 베어링 컵
차동 피니언 기어
차동 피니언 기어 샤프트
와셔
엔드 요크(플랜지)
로크 너트

:: 종감속 기어 및 차동기어 분해도

2 분해 · 조립 방법

① 사이드 베어링 캡이 좌·우가 바뀌지 않도록 표시를 하고 캡을 분해한다.
② 링 기어와 차동기어 케이스를 떼어낸다.

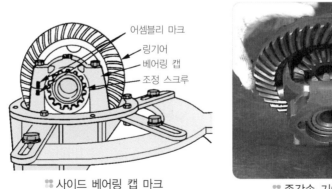

어셈블리 마크
링기어
베어링 캡
조정 스크루

:: 사이드 베어링 캡 마크

:: 종감속 기어 및 차동기어 어셈블리

③ 링 기어와 차동기어 케이스를 바이스에 물리고 링 기어 고정 볼트를 풀고 링 기어를 떼어낸다.

:: 사이드 베어링 캡 분해

:: 링 기어 분해

④ 차동 피니언 샤프트 고정 핀을 핀 펀치로 빼낸 다음 바이스에서 링 기어와 차동기어 케이스를 분리한다.

⑤ 차동 피니언 샤프트를 밀어서 빼낸 후 피니언과 사이드 기어 와셔 및 스러스트 와셔, 스페이서를 빼낸다.

핀 펀치

:: 차동장치 고정핀 분리

:: 차동 피니언 샤프트 고정 핀 분리

:: 사이드 기어 분해

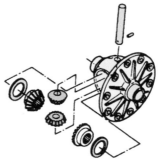

:: 사이드 기어 분해

139

⑥ 그림과 같이 플랜지 로크 너트를 풀고 엔드
  요크를 풀러로 분리한다.

⑦ 구동 피니언을 연질 해머로 가볍게 타격하여
  뒤쪽으로 빼낸다.

⑧ 조립은 분해의 역순으로 한다.

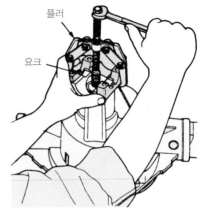

엔드 요크 분해

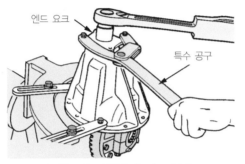

엔드 요크(플랜지) 너트 분해

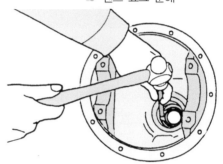

베어링 분해

❸ 링 기어와 구동 피니언의 백래시 점검 방법

1. 측정 방법

백래시 점검은 링 기어와 구동 피니언이 회전하지 못하도록 플랜지를 바이스 등에 고정한
후 다이얼 게이지를 캐리어에 부착하고 다이얼 게이지 스핀들을 링 기어에 직각으로 접촉시킨
후 링 기어를 좌·우로 가볍게 움직이면서 측정한다. 백래시는 일반적으로 0.13~ 0.18mm이다.

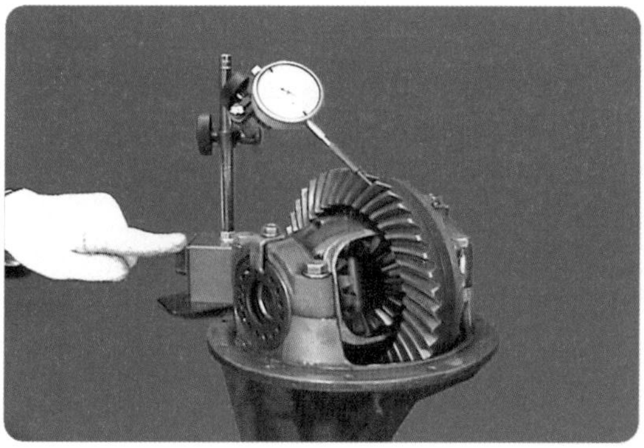
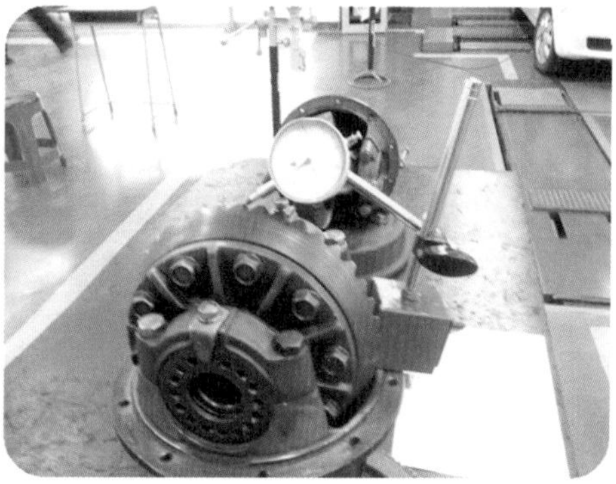

:: 백래시 측정 방법

2. 조정 방법

백래시 조정 방법에는 조정 나사식과 심(seam) 조정 방식이 있다. 링 기어를 구동 피니언 쪽으로 이동시키면 백래시가 작아지며, 반대로 멀리하면 백래시가 커진다.

■ **차종별 규정값**

차 종	링 기어	
	백래시	런아웃
갤로퍼	0.11~0.16mm	0.05mm 이하
록스타	0.09~0.11	–
무 쏘		
마이티	0.20~0.28mm	0.05mm 이하
그레이스	0.11~0.16	0.05mm 이하
에어로 버스	0.25~0.33mm(한계 0.6mm)	0.2mm 이하

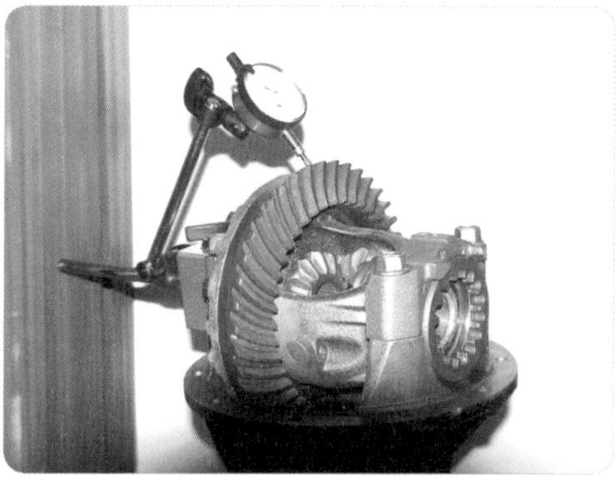
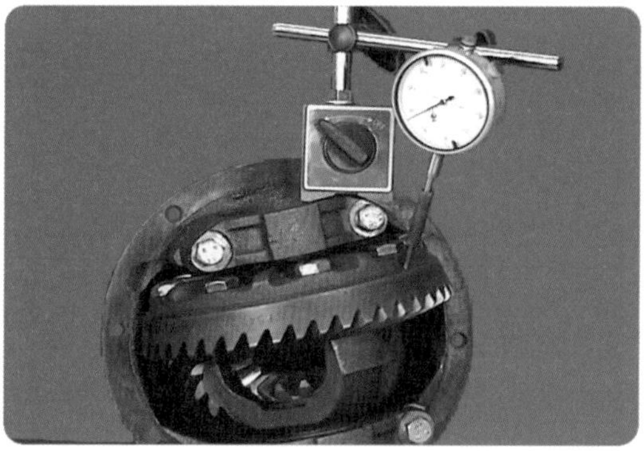

:: 링 기어 런 아웃 점검

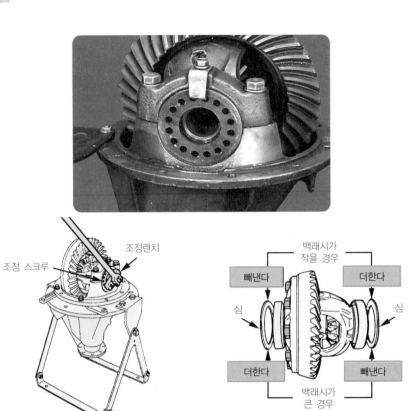

(a) 조정나사 형식

(b) 심 조정 형식

⁑ 백래시 조정 방법

동영상

④ 링 기어와 구동 피니언 접촉 점검 방법

1. 점검 방법

접촉 점검은 링 기어와 구동 피니언을 깨끗이 세척한 후 링 기어의 잇면에 광명단(또는 인주)을 바른 후 구동 피니언을 회전시켜 기어 잇면의 접촉상태를 보고 판정한다.

⁑ 기어의 명칭

:: 기어의 접촉 상태

2. 접촉 상태

① **정상 접촉** : 정상 접촉상태는 구동 피니언이 링 기어 중심부와 50~70% 접촉된 상태이다.

② **힐 접촉** : 구동 피니언이 링 기어의 대단부(링 기어의 기어 이빨 폭이 넓은 바깥쪽)와 접촉하는 상태이다.

③ **페이스 접촉** : 백래시 과대로 인하여 링 기어 이빨 끝에 구동 피니언이 접촉하는 상태이다.

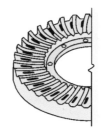

:: 정상접촉

> **TIP** •• 구동 피니언을 안쪽으로 이동시키고 링 기어를 밖으로 이동시켜 조정한다.

:: 힐 접촉

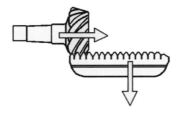
:: 힐 및 페이스 접촉 수정 방법

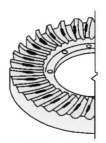
:: 페이스 접촉

④ **토우 접촉** : 구동 피니언이 링 기어의 소단부(기어 이빨사이의 폭이 좁은 안쪽)와 접촉하는 상태이다.

⑤ **플랭크 접촉** : 백래시 과소로 인하여 링 기어의 이뿌리쪽에 구동피니언이 접촉하는 상태이다.

> TIP •• 구동 피니언을 밖으로 이동시키고 링 기어를 안으로 이동시켜 조정한다.

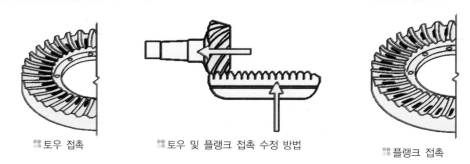

❋토우 접촉   ❋토우 및 플랭크 접촉 수정 방법   ❋플랭크 접촉

알아두기

★ 구동 피니언의 이동

구동 피니언을 안으로 이동시키고자 할 경우에는 그림의 심 삽입 위치와 같이 심을 첨가하고, 밖으로 이동시키고자 할 경우에는 심을 빼낸다. 또 링기어를 안으로 이동 시키고자할 경우에는 조정나사(또는 심)를 이용하여 링기어 반대쪽 나사를 풀고(심을 빼내고) 링기어 쪽 나사를 조이며(심을 첨가한다.), 밖으로 링기어를 이동시키고자 할 경우에는 링기어 쪽 나사를 풀고(심을 빼내고) 반대 쪽 나사를 조인다(심을 첨가한다).

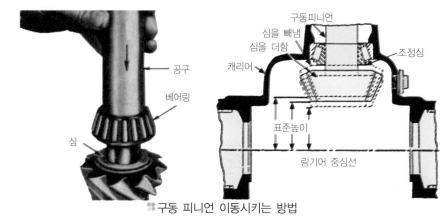

❋구동 피니언 이동시키는 방법

⑤ 각종 종감속 기어

제5장

휠과 타이어

01 타이어 펑크시 교환 방법

① 타이어 펑크시 교환 방법

1. 고임목 설치

차를 평탄한 곳에 주차하고 엔진 시동을 끈 후 변속레버를 「P」 위치(수동변속기는 1단)에 놓고 주차 브레이크를 완전히 체결하고 교환할 타이어 반대 대각 방향의 타이어 앞, 뒤에 고임목을 설치한다.

　　변속레버 P위치 및 고임목 설치

2. 스페어 타이어 분리

테일 게이트를 열고 고정 볼트를 반 시계방향으로 풀어 스페어 타이어를 탈거한다.

　　스페어 타이어 분리

3. 잭 분리

잭의 끝 부분을 손 또는 드라이버를 사용하여 반 시계방향으로 돌려 잭을 분리한다.

❖ 고정된 잭 분리

4. 잭, 스페어 타이어 및 차량 정비 공구를 펑크가 난 타이어 가까운 곳에 놓는다.

❖ 공구 준비

5. 휠 커버 분리(장착차량만 해당)

드라이버(-) 끝 부분을 휠 커버 돌기 부분에 넣어 휠 커버를 분리한다.

❖ 휠 커버 분리

6. 잭 설치

잭의 고리 부분이 바깥쪽으로 향하게 하고 교환할 타이어에서 가까운 잭 포인트에 잭을 위치한 후 손으로 고리 부분을 시계방향으로 돌려 고정시킨다.

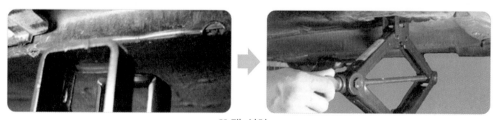

❖ 잭 설치

7. 휠 너트를 약간 풀어 준다

스페어 타이어를 잭에 가까운 차 밑 부분에 놓고, 휠 너트 렌치를 이용하여 휠 너트를 약간(약 1바퀴) 풀어 준다.

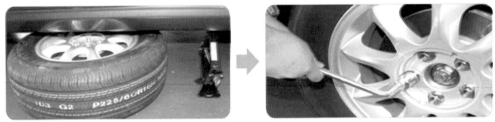

❖ 휠 너트 약간 풀기

8. 잭의 올림

고정된 잭의 고리에 바를 연결하여 타이어가 지면에서 약간 뜰 때까지 시계방향으로 돌려 잭을 들어 올린다.

❖ 잭 올림

9. 휠 너트 및 타이어 분리

타이어를 들어 올린 후 휠 렌치를 이용하여 휠 너트를 분리하고, 타이어를 빼낸다.

10. 타이어 장착, 휠 너트 조임

스페어 타이어를 휠 볼트에 맞춰서 장착 후 휠 너트의 테이퍼 부가 휠 구멍에 닿거나 덜컹거리지 않을 정도로 휠 너트를 손으로 조여 준다.

11. 차량을 지면에 내림

타이어가 지면에 닿을 때까지 바를 반 시계방향으로 돌려 잭을 내리고, 휠 너트를 반드시 대각선 순서로 2~3회에 걸쳐 여러 번 나누어 조인다.(조임 토크 : 9~11kg·m)

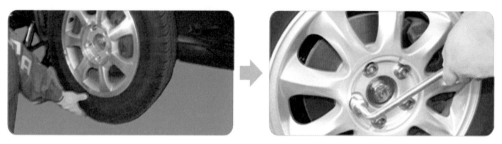

❖ 타이어 장착/휠 너트 조임

12. 잭 탈거 및 휠 커버 장착

차량으로부터 잭을 탈거하고 휠 커버를 장착한다.

❖ 잭 탈거 / 커버 장착

13. 펑크 난 타이어 설치

교환된 타이어는 테일 게이트 내부에 휠 구멍과 고정용 볼트 구멍을 일치시킨 후 타이어를 설치하고, 잭은 고리 부분을 시계방향으로 돌려가며 브래킷에 고정하고 타이어와 잭이 움직이지 않는지 확인하고 필요시에는 더 조인다.

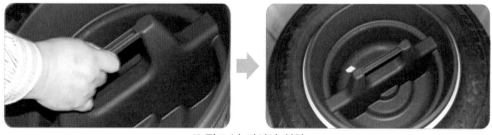

❖ 펑크 난 타이어 설치

② 타이어 교환 시 주의사항

① 타이어 교환은 반드시 경사가 없는 평탄하고 안전한 장소에서 실시하고, 도로 옆으로 정차시 급브레이크를 밟지 않는다.

② 꺼낸 스페어 타이어는 잭이 넘어지는 경우를 대비해서 잭에서 가까운 차체 아래 놓는다. 차량이 잭에서 떨어지면 심각한 상해를 초래할 수도 있다.

③ 도로 한가운데서 잭을 사용하지 말고, 잭의 최대 하중을 초과하지 않는다. 또한, 반드시 지정된 잭 포인트에 사용한다.

④ 잭을 사용하는 동안 엔진 시동을 절대 걸지 말고, 차를 흔들리게 하는 행동은 절대로 하지 않는다.

⑤ 잭을 사용할 때는 탑승자는 모두 내리고, 잭이 사용되는 동안 차 밑으로 들어가지 않는다.

⑥ 잭의 높이를 높이는 경우 타이어가 지면으로부터 약간 위로 올라가게 한다. 차를 필요 이상으로 높이면 위험하다.

⑦ 잭을 용량 이상으로 사용하지 않는다.

③ 4주식 리프트를 이용한 휠 교환

1. 리프트 구조

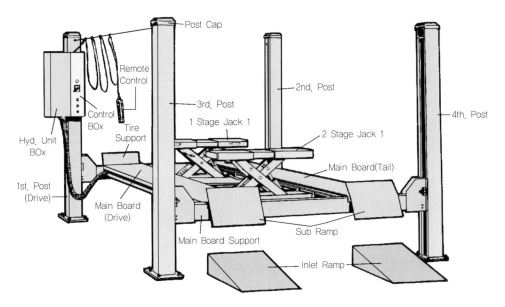

2. 컨트롤 패널 조작방법

① **전원 램프** : 파워 스위치를 ON 위치로 하면 점등된다.

② **전원 스위치** : 전원을 연결, 차단한다.

③ **상승 버튼** : 메인 보드가 상승한다.

④ **잠금 버튼** : 메인 보드를 포스트에 록킹이 된다.

⑤ **하강 버튼** : 메인보드가 하강한다. 이때 잠시 올라갔다 내려오는데 이것은 안전장치를 풀기위한 것이다.

3. 리모컨의 사용법

① **안전 스위치(적색 버튼)** : 모든 동작을 정지시킨다.

② **메인 보드 상, 하 버튼** : 메인 보드를 상승, 하강시킬 때 사용한다.

③ **2단 잭 앞바퀴 상, 하스위치** : 앞쪽 2단 잭을 상승, 하강시킨다.

④ **2단 잭 뒷바퀴 상, 하스위치** : 뒤쪽 2단 잭을 상승, 하강시킨다.

> **TIP** ••
> ① 안전 스위치를 OFF 시키면 컨트롤 패널과 리모컨의 모든 버튼은 작동되지 않는다.
> ② 메인보드 버튼과 2단 잭 버튼은 동시에 사용할 수 없다.
> ③ 2단 잭 1과 2의 상승, 하강 버튼은 동일하게 동작될 때만 동시 사용이 가능하다.
> ④ 리모컨의 메인보드 상승버튼 또는 컨트롤 패널의 상승 버튼을 눌러 메인보드를 원하는 높이까지 상승시킨다.

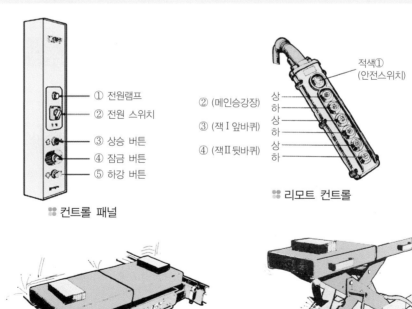

① 전원램프
② 전원 스위치
③ 상승 버튼
④ 잠금 버튼
⑤ 하강 버튼

❈ 컨트롤 패널

적색①
(안전스위치)

② (메인승강장)
③ (잭Ⅰ앞바퀴)
④ (잭Ⅱ뒷바퀴)

상
하
상
하
상
하

❈ 리모트 컨트롤

❈ 고무판 설치

❈ 안전장치 작동

4. 휠 탈착 방법

① 차량을 진입시켜 메인보드 위 중앙에
올려놓은 후 주차 브레이크를 당겨놓
고 운전자는 차에서 내린다.

② 컨트롤 패널에 전원 스위치를 ON으
로 한다.

③ 리모컨의 안전 스위치를 해제시킨다.

④ 리모컨의 메인보드 상승버튼 또는 컨

4주식 리프터

트롤 패널의 상승 버튼을 눌러 메인보드를 원하는 높이까지 상승시킨다.

⑤ 안전을 위하여 컨트롤 패널의 잠금 버튼을 눌러서 메인보드를 로크 위치에 고정시킨다.

⑥ 2단 잭을 차량의 받침부분으로 이동시키고 필요한 넓이로 벌린 상판 슬라이드 위에 고
무판을 올려놓는다.

⑦ 리모컨의 잭 상승버튼으로 2단 잭을 상승시킨다.

⑧ 안전을 위해 2단 잭의 안전 레버를 내려놓는다.

⑨ 리모컨의 안전 스위치를 물려놓고 휠을 탈부착 한다.

⑩ 작업 종료 후 내릴 때는 안전 스위치를 해제시킨 후 리모컨의 하강 버튼을 눌러서 하
강시킨다. 이때 잠시 올라갔다 내려오는데 이것은 안전장치를 풀기위한 것이다.

동영상

02 타이어 교환

1 타이어 교환기의 구조

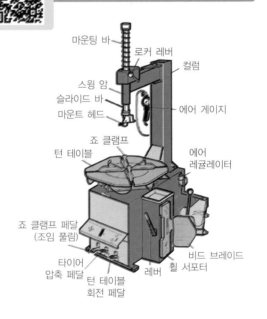

마운팅 바
로커 레버
컬럼
스윙 암
슬라이드 바
마운트 헤드
에어 게이지
죠 클램프
턴 테이블
에어
레귤레이터
죠 클램프 페달
(조임 풀림)
비드 브레이드
타이어
압축 페달
턴 테이블
회전 페달
레버
휠 서포터

❷ 휠에서 타이어의 탈거 방법

① 타이어의 공기를 빼낸다.

❖ 타이어 탈착   ❖ 타이어 공기 배출

② 비드 브레이커 위치에 바퀴를 고정시킨 후 타이어 비드 부근에 비드 브레이드를 대고 압축용 페달을 누른다.

③ 타이어의 비드 전체가 림으로부터 자유로워 질 때 까지 타이어의 다른 위치에서 반복하여 작동한다.

● 타이어 압축 : ❷번 페달을 타이어가 완전히 압착될 때까지 밟는다.

● 비드 브레이커 복귀 : ❷번 페달을 타이어가 완전히 압착된 후 놓으면 자동으로 복귀된다.

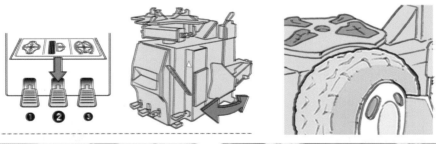

❖ 림에서 타이어 압착

153

④ 타이어를 탈착기의 턴테이블 위에 바르게 올려놓는다.

⑤ 림을 바깥쪽과 안쪽 클램핑 하는 것을 휠 규격에 맞춰 선택한 후 클램핑 한다.

타이어 클램핑

림 모서리에 마운트 헤드 맞춤

⑥ 클램핑 할 때에는 죠 클램핑 위에 바퀴를 올려놓고 홈 아래로 림을 슬며시 밀며 바르게 고정한다.

- **죠 클램프 조임** : 죠 클램프가 멀어져 있거나 중간 멈춤 상태에서 ❶번 페달을 밟으면 죠가 조여진다. (그림1)
- **죠 클램프 멈춤** : ❶번 페달을 한번 더 누르면 죠 클램프가 멈춘다. (그림2)
- **죠 클램프 벌림** : ❶번 페달을 한번 더 누르면 죠 클램프가 벌어진다. (그림3)

⑦ 고정 후 비드에 오일을 붓으로 발라 준다.

⑧ 림 모서리로 부터 약 3~4mm 떨어진 위치에 마운트 헤드를 맞춘다.

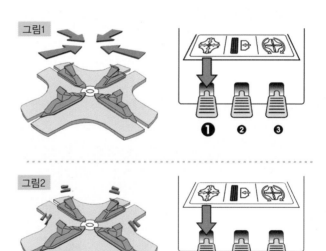

그림1

그림2

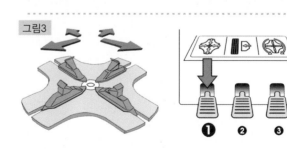

그림3

⑨ 수직 슬라이드 바의 높이를 맞춘 후 록커 레버를 조여 준다.

⑩ 타이어 탈착용 레버로 비드를 마운트 헤드 위에 올려놓는다.

:: 레버를 이용한 비드 들어 올림

:: 타이어 레버의 위치

⑪ 턴테이블 회전용 페달을 누르면 타이어 분해가 시작된다.(비드가 잘 빠지지 않을 경우 1인치 정도 뒤로 돌린다.)

- 턴테이블 정회전 : ❸번 페달을 아래로 밟으면 시계 방향(오른쪽)으로 정회전 한다.
- 턴테이블 역회전 : ❸번 페달을 발등으로 위로 올리면 시계 반대방향(왼쪽)으로 역회전 한다.

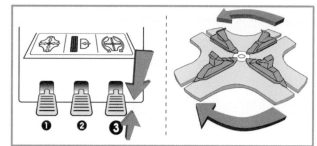

:: 테이블의 회전

⑫ 바퀴를 완전히 돌려 마운트 헤드로 부터 정반대 위치에서 손을 사용하여 타이어 면을 아래로 누른다.

:: 휠에서 타이어 분리

:: 타이어가 분리된 휠 모습

③ 림에 타이어의 부착 방법

① 타이어를 부착하기 전에 비드 뒷부분에 약간의 오일을 붓으로 바른다.

② 마운트 헤드를 타이어 위에 올려놓는다.

③ 림쪽으로 비드의 한 부분을 손으로 미끌어 뜨린 후 헤드로부터 오른쪽으로 90° 각도에 튜브 밸브를 놓는다.

④ 마운트 헤드 모서리 쪽으로 타이어의 비드 뒷부분을 올린다.

❉마운트 헤드 모서리에 비드 올림

❉테이블 회전

⑤ 림 홈 쪽으로 타이어를 아래로 누르며 테이블을 회전시키면 비드 뒷부분이 자동적으로 마운트 헤드 아래로 간다.

⑥ 타이어가 완전히 삽입될 때까지 계속 작동을 한다.

⑦ 바퀴가 헛 물리거나 타이어 부풀림시 암(Arm)을 흔들어 움직여 준다.

❉테이블 회전 완료

❉림에 타이어 장착 완료

156

❖타이어 공기 중립

❖타이어 교환이 완료된 모습

④ 림과 타이어 교환 작업

① 비드부를 플라이 바를 비드부에 대고
   젖혀서 헤드부에 올려놓는다.

② 마운트 헤드 모서리 쪽으로 타이어
   비드를 올린 후 타이어를 아래로 누
   르며 회전시키면 비드가 자동적으로
   마운트 헤드 아래로 간다.

③ 타이어가 림에 조립이 된 후에는 좌
   우, 상하로 위치를 맞추고 에어를 주
   입한다.

❖비드 들어 올림

❖림에 타이어 장착

❖타이어 수평 작업

157

알아두기

★ 튜브 타이어와 튜브리스 타이어의 구분

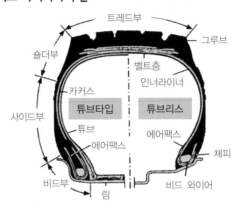

튜브 타이어		항목	튜브리스 타이어	
냉각효과 적음	림 브레이크 드럼	열 발산 능력	림 브레이크 드럼	냉각효과 우수
급격한 공기 누출	밸브 림 프랩 튜브	펑크 안정성	밸브 림 인너 라이너 못	공기가 서서히 누출
6가지 부품 필요	고정림 림 튜브 사이드링 플랩 타이어	관리 편리성	림 타이어	2가지 부품으로 장·탈착 편리
여러 부품의 불균형, 튜브 접힘 등에 의한 낮은 밸런스		밸런스	튜브, 플랩, 고정 링 등에 의한 불균형 없이 우수한 밸런스	
튜브, 플랩 등 사용으로 인한 중량 증채		중량	타이어와 림만의 사용으로 중량 절감, 연비 향상	

■ 타이어의 호칭

타이어의 호칭(Radial)-(1)	
155 S R 13	185/70R14 87H
• **155** : 단면 폭(mm) • **S** : 최대 속도 표시 • **R** : 레이디얼 구조 • **13** : 림 직경(inch)	• **185** : 타이어의 너비(265mm) • **70** : 평편비 • **R** : 타이어의 종류(레이디얼) • **14** : 림의 지름(14inch) • **87** : 최대 하중치수 • **H** : 최고속도 기호
타이어의 호칭(Bias)-(2)	
5.60S-13-4PR	10.00-20 14PR
• **5.60** : 타이어의 너비(5.6inch) • **S** : 최대 속도 표시 • **13** : 타이어의 안지름(inch) • **4PR** : 타이어의 강도(면사코드 4PLY에 해당)	• **10.00** : 단면 폭(inch) • **20** : 림 직경(inch) • **14PR** : 플라이 레팅 수

⑤ 각종 타이어 탈착기

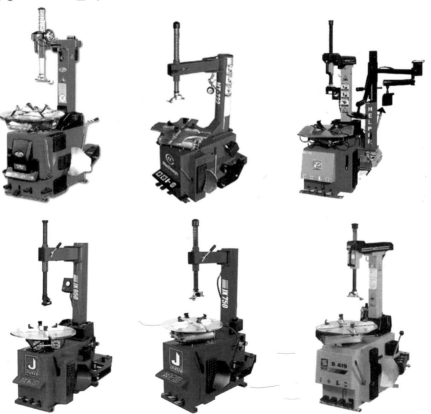

03 휠 밸런스 측정

동영상

1 휠 밸런스의 구조

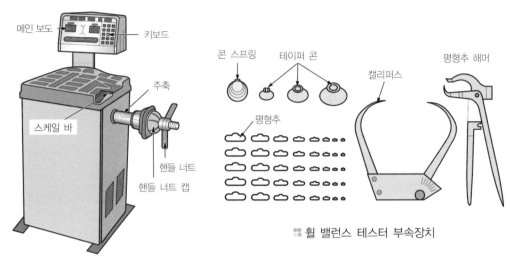

: 휠 밸런스 테스터의 구조

: 휠 밸런스 테스터 부속장치

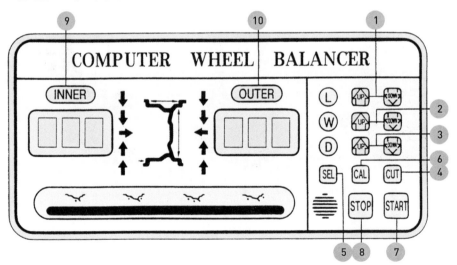

① 거리 조절 버튼　　② 폭 조절 버튼　　③ 직경 조절 버튼
④ 잔량 확인 버튼　　⑤ STATIC, ALU1, ALU2, ALU3 또는 DYNAMIC 기능선택 버튼
⑥ 자기교정을 수행하는 버튼　　⑦ 측정회전을 시작하는 버튼
⑧ 비상정지를 시키는 버튼　　⑨ 측정한 불균형 값 중 휠의 안쪽
⑩ 측정한 불균형 값 중 휠의 바깥쪽

: 휠 밸런스 테스터 메인 보드

② 휠 밸런스의 측정 방법

① 테이터 옆에 있는 전원 스위치를 ON으로 한다.

② **휠 거리(Ⓛ) 명판의(INNER)** : 8.0(OUTER)이 나타나면 테스터에서 타이어까지 측정한 거리를 키보드의 [UP], [DOWN]버튼을 눌러 원하는 값으로 맞춘다.

③ **휠 폭(Ⓦ) 키보드의 [UP], [DOWN]버튼을 눌러 명판의(INNER)** : 5.7(OUTER)이 나타나 면 측정한 휠 폭 값을 [UP], [DOWN]버튼으로 맞춘다.

:: 휠 밸런스 테스터에서 림까지 거리 입력 모습

:: 휠 폭의 입력 모습

④ **휠 지름(Ⓓ) 키보드의 [UP], [DOWN]버튼을 눌러 명판의(INNER)** : 14(OUTER)가 나타 나면 휠 지름 값을 [UP], [DOWN]버튼으로 맞춘다.

⑤ 순차적으로 ②, ③, ④번을 작동하여 원하는 수치를 맞추면 자동으로 입력된다. 입력 된 수치 중 변경할 수치가 있으면 Ⓛ, Ⓦ, Ⓓ의 [UP], [DOWN]버튼을 눌러 원하는 값 으로 조정한다.

⑥ START 버튼을 누르면 5~6초 동안 회전 후 자동으로 멈추며 (INNER) : (OUTER)에 측정값이 나타난다.

⑦ INNER값을 확인하고 타이어를 손으 로 돌려 IN의 수정위치에(왼쪽 불이 모두 점등될 때) 맞춘 후 IN에 나타 난 값의 평형추를 휠 상단 안쪽에 부 착한다.

⑧ OUTER값을 확인하고 타이어를 손 으로 돌려 OUT의 수정위치에(오른 쪽 불이 모두 점등될 때) 맞춘 후 OUT에 나타난 값의 평형추를 휠 상

:: 휠 밸런스의 측정된 모습

단 안쪽에 부착한다.

⑨ IN, OUT 수정값의 평형추를 모두 부착한 후 다시 START버튼을 누르면 회전 후
INNER(0) : OUTER(0)이 나타나면 수정이 끝난다.

> **TIP** ●● 승용차 용 휠 밸런스 측정값이 IN, OUT 어느 한쪽에 40g이상이 나타날 경우에는 휠의 상
> 태가 불량일 경우가 많으며, 한 번 수정으로 완전히 0이 아닌 잔량이 나올 수 있으므로
> 한 번 더 수정하여야 하는 경우도 있다.

③ 각종 휠 밸런스

:: 휠 밸런스 테스터(헤스본 112)

:: 휠 밸런스 테스터(헤스본 121)

04 타이어 트레드 깊이 측정

1 측정 조건

자동차는 공차상태로 하고 타이어의 공기압은 표준 공기압으로 한다.

■ 타이어 종류별 마멸한도

타이어의 종류	남은 홈 깊이
트럭 및 버스용 타이어	3.2mm
소형 트럭용 타이어	2.4mm
승용차용, 경트럭용 타이어	1.6mm

2 측정 방법

① 타이어 접지부의 임의의 한 점에서 120도 각도가 되는 지점마다 접지부의 1/4 또는 3/4 지점 주위의 트레드 홈의 깊이를 측정한다.

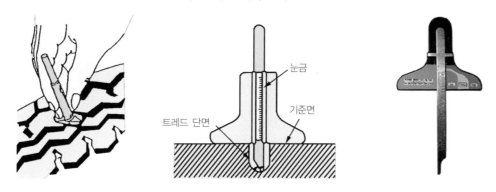

② 트레드 마모 표시(1.6mm로 표시된 경우에 한한다)가 되어 있는 경우에는 마모 표시를 확인한다.

③ 각 측정점의 측정값을 산술 평균하여 이를 트레드의 잔여 깊이로 한다.

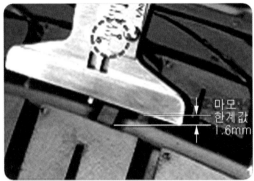

③ 타이어의 마모와 원인

휠 및 타이어 고장진단			
트레드 중심의 마모		트레드 양 측면의 마모	타이어 한쪽면의 마모
![트레드 중심의 마모]		![트레드 양 측면의 마모]	![타이어 한쪽면의 마모]
공기 압력 과다	과도한 공기압으로 트레드 중심부가 보강 벨트 부위까지 마모	공기 압력 적음	부정확한 캠버 각
반 점		깃털 마모	불균일한 마모
![반 점]	![반 점]	![깃털 마모]	![불균일한 마모]
급제동시 타이어 가 도로 표면에 미끌림	과도한 토인, 토 아웃	휠 밸런스 불량 서스 펜션, 스티어링 기어 또는 베어링의 손상	트레드의 한계값 이하 마모

④ 실제 차량에서의 타이어의 마모상태와 원인

① **타이어가 한계 값까지 마모되었을 때** : 한계 값까지 마모되어서 인디케이터가 마모 면과 평면일 때

② **비정상적인 불균일 마모** : 부적절한 휠 얼라인먼트, 부적절한 휠 밸런스 및 부적절한 휠 로테이션이 원인이다.

③ **한쪽 숄더부의 리브 마모** : 캠버 불량이 원인이다.

❀ 마모   ❀ 불균일 마모   ❀ 숄더부 마모

④ **원주방향 편심 마모** : 현가 스트러트의 불량 및 휠 밸런스 불량이 원인이다.

⑤ **숄더부의 다각형마모** : 부적절한 휠 얼라인먼트, 부적절한 휠 밸런스 및 부적절한 휠 로테이션이 원인이다.

⑥ **숄더부의 불규칙 마모** : 부적절한 휠 얼라인먼트가 원인이다. 스티어링 기어, 현가장치 불량 등이 원인이다.

❀ 원주방향 마모   ❀ 다각형 마모   ❀ 불규칙 마모

⑦ **원주방향으로 깃털 마모** : 과도한 토인, 토아웃 원인이다.

❀ 깃털 마모

⑧ **양쪽 숄더부의 마모** : 공기압 불량(부족)이 원인이다.

⑨ **트레드 부분의 상처** : 주행시 충격이나 외부 물체에 의한 손상이 원인이다.

 양쪽 숄더부 마모　　　　　　　　　　 상처

5 **타이어 로테이션**

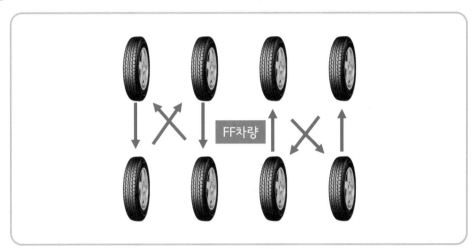

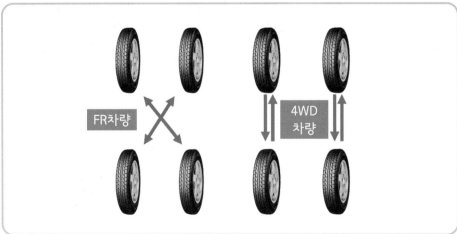

⑥ 타이어 깊이 게이지의 종류

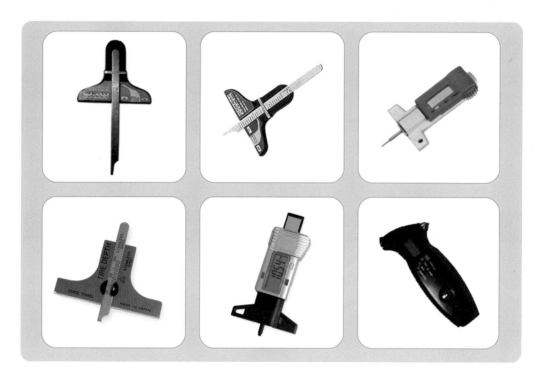

:: 각종 타이어 깊이 게이지

제6장

현가장치 정비

01 앞 쇽업쇼버 스프링 교환

❶ 앞 쇽업소버 교환 방법

동영상

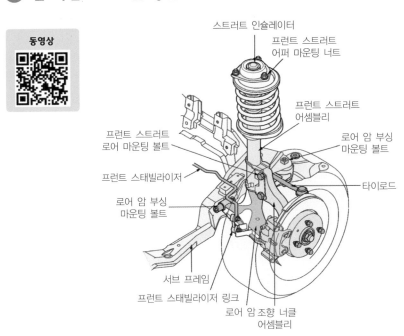

스트러트 인슐레이터

프런트 스트러트
어퍼 마운팅 너트

프런트 스트러트
어셈블리

로어 암 부싱
마운팅 볼트

프런트 스트러트
로어 마운팅 볼트

프런트 스태빌라이저

로어 암 부싱
마운팅 볼트

타이로드

서브 프레임

프런트 스태빌라이저 링크

로어 암 조향 너클
어셈블리

💠 앞 현가장치의 구성부품

1. 탈착 순서

① 휠 및 타이어를 탈거한다.

② 스트러트 어셈블리에서 브레이크 호스 브래킷을 분리한다.

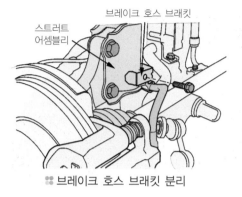
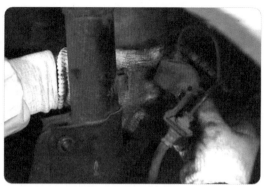

❖ 브레이크 호스 브래킷 분리

③ ABS 차량인 경우 휠 스피드 센서 케이블을 분리한다.

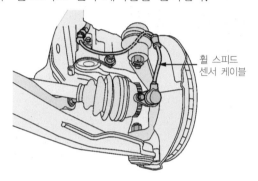

❖ 휠 스피드 센서 케이블 분리

④ 스트러트 상부 체결용 너트를 탈거한다.

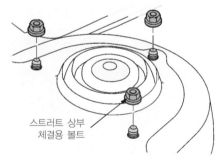

❖ 스트러트 상부 체결용 너트 위치

❖ 스트러트 상부 체결용 너트 분리

⑤ 스트러트 하단부 마운틴 볼트를 탈거하고 스트러트 어셈블리를 탈거한다.

> **TIP** •• 스트러트 및 조향 너클 사이의 연결 볼트를 분리할 때는 로어 암을 들어올린다. 브레이크 호스, 브레이크 라인, 휠 스피드 센서, 배선 하니스 및 구동축이 튀어나가지 않도록 철사를 사용하여 조향 너클에 묶는다.

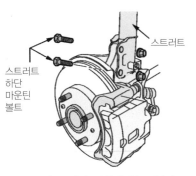

스트러트 하부 마운틴 볼트 분리

스트러트 하부 마운틴 볼트 위치

스트러트 어셈블리 탈거

2. 부착 순서

① 셀프 록킹 너트를 스트러트 어셈블리에 끼운다.

② 코일 스프링의 두 끝을 스프링 시트의 홈에 일치시킨다.

③ 특수 공구를 사용하여 스프링 어퍼 시트를 잡고 셀프 록킹 너트를 규정 토크로 조인다.

④ 그리스를 인슐레이터 베어링에 바른 후 더스트 커버를 설치한다.

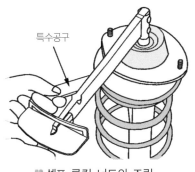

셀프 록킹 너트의 조립

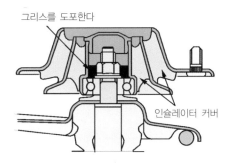

베어링부의 그리스 도포

170

2 앞 쇽업소버 분해, 조립 방법

동영상

1. 분해 순서

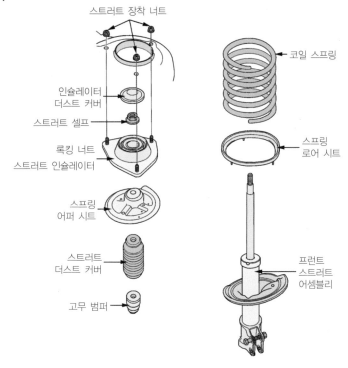

스트러트 장착 너트

인슐레이터
더스트 커버

스트러트 셀프

록킹 너트
스트러트 인슐레이터

스프링
어퍼 시트

스트러트
더스트 커버

고무 범퍼

코일 스프링

스프링
로어 시트

프런트
스트러트
어셈블리

:: 스트러트 어셈블리의 분해도

① 인슐레이터 더스트 커버를 (−) 드라이버로 분리한 후 도포되어있는 방청유를 제거한
다.

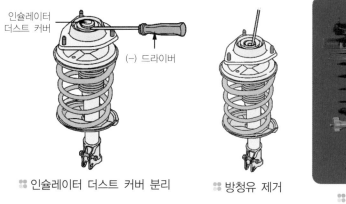

인슐레이터
더스트 커버

(−) 드라이버

:: 인슐레이터 더스트 커버 분리   :: 방청유 제거

:: 스프링 압축기에 설치

171

② 코일 스프링 압축기를 사용하여 어퍼 스프링 시트를 고정시키고 스프링에 약간의 장력이 생길 때까지 코일 스프링을 압축한다.

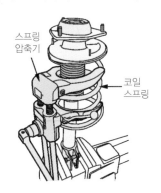

⚎ 코일 스프링 압축

③ 스트러트를 바이스에 고정시킨 상태에서 상부의 셀프 록킹 너트를 탈거한다.

④ 스트러트에서 인슐레이터, 스프링 시트, 코일 스프링 및 더스트 커버, 고무 범퍼 등을 탈거한다.

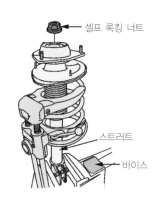

⚎ 셀프 록킹 너트 탈거

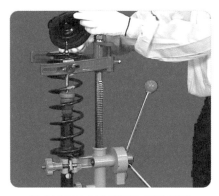

⚎ 스러스트 인슐레이터 커버 탈거 ⚎ 코일 스프링 탈거

2. 조립 순서

① 돌출부가 스프링 아래 시트의 구멍에 끼워지도록 아래 스프링 패드를 설치한다.

② 코일 스프링에 스프링 압축기를 끼운 후 스프링을 압축한다.

❈ 코일 스프링 장착

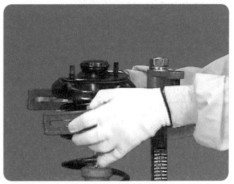

❈ 스러스트 인슐레이터 장착

③ 더스트 커버 및 고무 범퍼를 끼운다.

④ 로드의 노치를 스프링 시트의 D형 구멍에 끼워 스프링 어퍼 시트를 피스톤 로드에 조립한다.

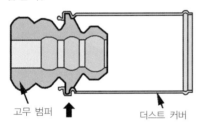

❈ 고무 범퍼와 더스트 커버의 연결

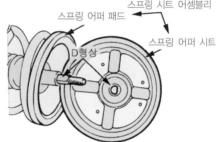

❈ 스프링 어퍼 시트의 조립

⑤ 코일 스프링을 로어 시트의 홈과 어퍼 시트의 홈을 일치시킨다. 이때 가이드 핀(지름 8mm, 길이 227mm)을 이용하면 편리하다.

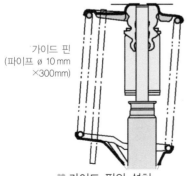

❈ 가이드 핀의 설치

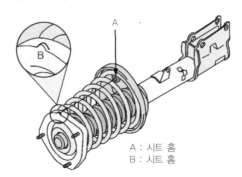

A : 시트 홈
B : 시트 홈

❈ 시프링 시트 홈 위치

173

3 쇽업소버 스프링 압축기

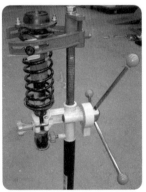

02 프런트 허브와 너클 교환

1 프런트 허브의 분해 방법

동영상

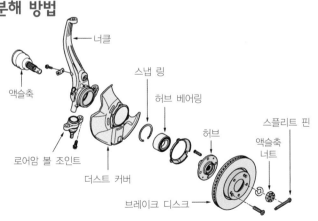

너클

스냅 링

허브 베어링

액슬축

허브

스플리트 핀

액슬축 너트

로어암 볼 조인트

더스트 커버

브레이크 디스크

❖ 프런트 허브의 구성부품

① 차량을 들어 올리고 휠 및 타이어를 탈착한다.

② 휠 스피드 센서 및 브레이크 호스를 분리한다.

③ 캘리퍼를 탈거한 후 와이어를 이용하여 떨어지지 않도록 묶는다.

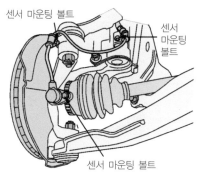

휠 스피드 센서 분리

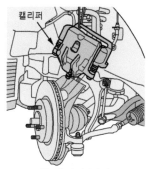

캘리퍼 탈거

④ 스플리트 핀 및 구동축 너트를 분리한다.

⑤ 너클에서 볼 조인트 조립용 볼트를 분리한다.

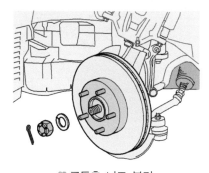

구동축 너트 분리

볼 조인트 장착볼트 분리

⑥ 고무 해머 또는 플라스틱 해머를 이용하여 구동축을 허브에서 분리한다.

⑦ 타이로드 엔드 풀러를 이용하여 너클에서 타이로드 엔드를 분리한다.

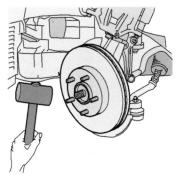

구동축 분리

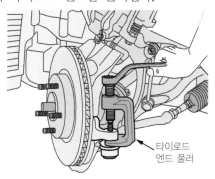

타이로드 엔드 분리

175

⑧ 어퍼 컨트롤 암 마운팅 볼트를 느슨하게 푼 후 타이로드 엔드 풀러를 이용하여 너클에
서 어퍼 컨트롤 암을 분리한다.

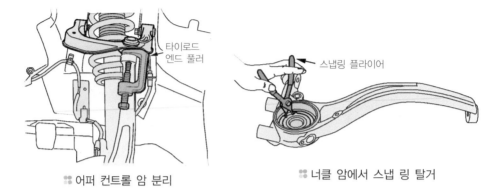

타이로드
엔드 풀러

스냅링 플라이어

🎛 어퍼 컨트롤 암 분리 　　　　　　　　🎛 너클 암에서 스냅 링 탈거

⑨ 프런트 구동축 및 디스크를 함께 분리한
다.

⑩ 허브와 브레이크 디스크를 분리한다.

⑪ 너클에서 스냅 링을 탈거한다.

⑫ 로어 암 부싱 리무버 인스툴(특수공구)
을 이용하여 너클에서 허브를 분리한다.

⑬ 베어링 및 기어 풀러와 로어 암 부싱 리
무버 인스툴을 이용하여 허브 베어링 인
너 레이스를 허브에서 분리한다.

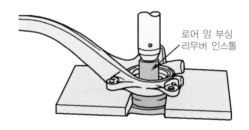

로어 암 부싱
리무버 인스톨

🎛 너클 암에서 허브 베어링 탈거

⑭ 부싱 리무버 인스툴리(특수공구)를 이용하여 허브 베어링 아웃 레이스를 너클에서 분
리한다.

베어링 및 기어 풀러

로어 암 부싱
리무버 인스톨

🎛 허브 베어링 인너 레이스 분리

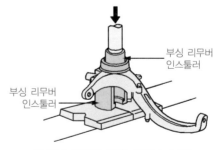

부싱 리무버
인스툴러

부싱 리무버
인스툴러

🎛 허브 베어링 아웃 레이스 분리

TIP •• 　조립은 분해의 역순으로 한다.

176

2 프런트 허브와 너클의 점검 방법

① 허브의 균열 및 스플라인의 마모를 점검한다.

② 오일 실의 균열 및 손상을 점검한다.

③ 브레이크 디스크의 긁힘 및 손상을 점검한다.

④ 너클의 균열을 점검한다.

⑤ 허브 베어링의 결함을 점검한다.

3 프런트 허브 베어링 및 허브의 조립 방법

① 너클과 베어링의 외부 접촉면에 그리스를 얇게 바른다.

② 부싱 리무버 인스툴러(특수공구)를 이용하여 너클에 허브 베어링을 조립한다. 이때 허브 베어링의 인너 레이스를 누르면 베어링이 손상될 수 있으므로 누르지 않도록 하며, 허브 베어링을 탈거 후 장착할 경우에는 항상 신품으로 교환하여야 한다.

③ 너클 암에 스냅링을 조립한다.

④ 볼 조인트 더스트 커버 인스툴러를 이용하여 허브를 너클에 조립한다. 이때 허브 베어링의 아웃 레이스를 누르면 베어링이 손상될 수 있으니 누르지 않도록 주의한다.

⑤ 프런트 허브 리무버 인스툴러를 이용하여 허브를 너클에 20kgf-m의 토크로 조립한다.

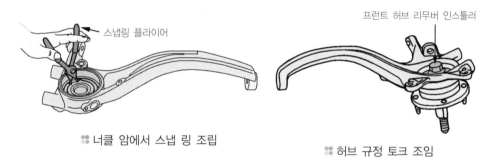

❖ 너클 암에서 스냅 링 조립

❖ 허브 규정 토크 조임

⑥ 베어링을 안착시키기 위해 허브를 회전시킨다.

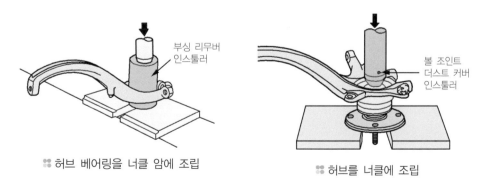

❖ 허브 베어링을 너클 암에 조립

❖ 허브를 너클에 조립

⑦ 허브 베어링의 기동 토크를 측정한다.

항목	규 정 값
기동 토크	0.18kgf·m

⑧ 다이얼 게이지를 설치하여 허브의 엔드 플레이를 점검한다.

항목	규 정 값
엔드 플레이	0.008mm

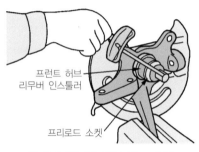

프런트 허브
리무버 인스톨러

프리로드 소켓

❖ 허브 베어링 기동 토크 측정

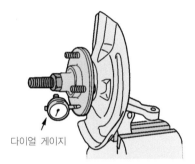

다이얼 게이지

❖ 허브 베어링 엔드 플레이 점검

4 프런트 허브의 조립 방법

① 와셔 및 허브 베어링 너트를 규정된 방향으로 설치한다.
② 휠을 조립한 후 차량을 내려놓고 허브 베어링 너트를 최종적으로 조인다.
③ 스플리트 핀 홀이 맞지 않으면 너트를 최종적으로 조인다.
④ 스플리트 핀을 구멍에 끼우고 구부린다.

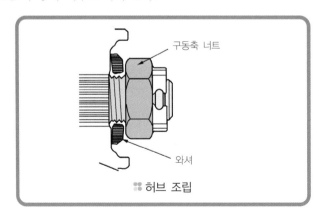

구동축 너트

와셔

❖ 허브 조립

03 로어 암 교환

1 맥퍼슨 타입 로어 암의 교환 방법

동영상

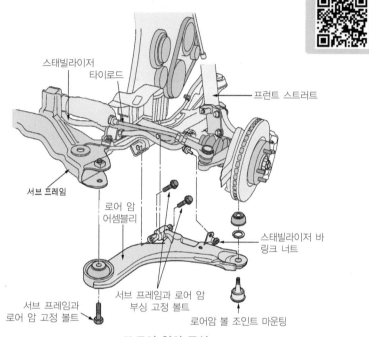

스태빌라이저
타이로드
프런트 스트러트
서브 프레임
로어 암
어셈블리
스태빌라이저 바
링크 너트
서브 프레임과 로어 암
부싱 고정 볼트
서브 프레임과
로어 암 고정 볼트
로어암 볼 조인트 마운팅

❖ 로어 암의 구성

1. 분해 방법

① 휠 및 타이어를 분리한 후 분할 핀, 캐슬 너트 및 와셔를 분리한다.

② 로어 암 조인트 너트를 풀고(너트를 풀기만 하고 분리하지 않는다) 스트러트 어셈블리에서 스트러트 하부 고정 볼트를 분리한다.

로어암

❖ 로어 암의 설치 위치

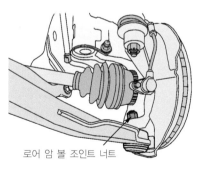

로어 암 볼 조인트 너트

❖ 로어 암 볼 조인트 볼트 분리

179

❖ 스트러트 하부 고정 볼트 위치

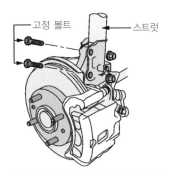

❖ 스트러트 하부 고정 볼트 분리

③ 액슬 허브를 바깥쪽으로 밀어서 타이로드 엔드 플러를 장착할 수 있는 공간을 확보한 후 타이로드 엔드 플러를 이용하여 로어 암에서 볼 조인트를 분리한다. 이때 타이로드 엔드 플러의 코드를 근처 부품에 묶는다.

④ 스태빌라이저 링크 너트를 탈거한 후 스트러트 하부 고정 볼트를 임시로 체결한다.

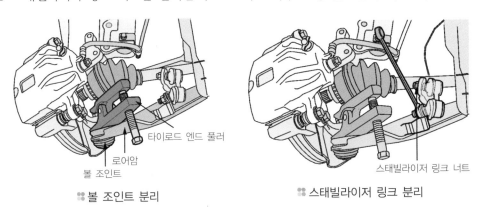

❖ 볼 조인트 분리

❖ 스태빌라이저 링크 분리

⑤ 동승석 사이드 커버를 분리한 후 마운팅 볼트를 분리한다.

⑥ 임시 풀어둔 로어 암 볼 조인트 너트를 완전히 분리하고 로어 암 어셈블리를 분리한다.

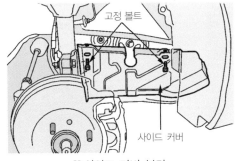

❖ 사이드 커버 분리

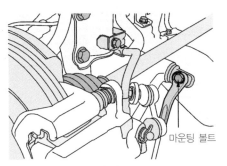

❖ 마운팅 볼트

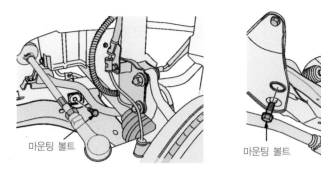

마운팅 볼트

마운팅 볼트

:: 마운팅 볼트

2. 로어 암의 점검

① 부싱의 마멸 및 부식을 점검한다.

② 로어 컨트롤 암의 휨, 파손을 점검한다.

③ 볼 이음 더스트 커버의 균열을 점검한다.

④ 모든 볼트를 점검한다.

⑤ 클램프의 파손, 손상을 점검한다.

❷ 더블 위시본 타입 로어 암의 교환(그랜저 XG, 옵티마, EF 쏘나타)

1. 구성 부품

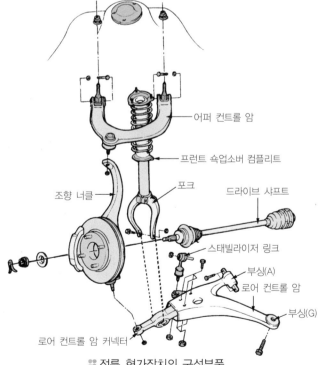

— 어퍼 컨트롤 암

— 프런트 쇽업소버 컴플리트

조향 너클 —

— 포크

드라이브 샤프트

스태빌라이저 링크

부싱(A)

로어 컨트롤 암

부싱(G)

로어 컨트롤 암 커넥터

:: 전륜 현가장치의 구성부품

181

2. 로어 암의 탈거

① 휠 및 타이어를 탈거한다.

② 볼 조인트 너트를 탈거되지 않게 풀어준다.

③ 특수공구를 사용하여 로어 암 커넥터에서 로어
   암 볼 조인트를 분리한다.

④ 볼 조인트 어셈블리를 탈거한다.

⑤ 포크와 로어 암 커넥터 조립 볼트를 탈거한다.

⑥ 로어 암에서 스태빌라이저 링크를 탈거한다.

베어링 및 기어 풀러

로어 암 볼 조인트 분리

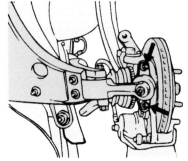

볼 조인트 어셈블리 탈거

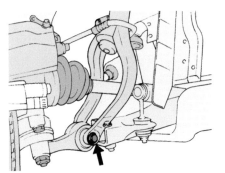

포크와 로어 암 분리

⑦ 로어 암 부싱(A)에서 볼트 2개를 탈거한
   다.

⑧ 로어 암 부싱(G)에서 볼트를 탈거한다.

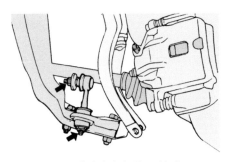

스태빌라이저 링크 분리

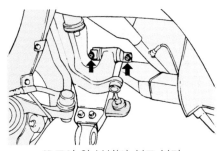

로어 암 부싱(A) 볼트 분리

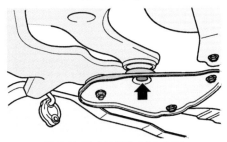

로어 암 부싱(G) 볼트 분리

182

3. 로어 암의 점검

① 부싱의 마모 및 노화 상태를 점검한다.

② 로어 암의 휨 또는 손상 상태를 점검한다.

③ 볼 조인트 더스트 커버의 균열 상태를 점검한다.

④ 모든 볼트를 점검한다.

⑤ 로어 암 볼 조인트의 회전 토크를 점검한다.

⑥ 더스트 커버에 균열이 생겼을 경우 볼 조인트 어셈블리를 교환한다.

⑦ 볼 조인트 스터드를 몇 번 흔든다.

⑧ 볼 조인트 회전 토크를 측정한다.

• 기준값 : 2~10kgf·m

⑨ 스태빌라이저 링크 볼 조인트의 회전 토크를 점검한다.

⑩ 더스트 커버에 균열이 생겼을 경우 교환하고 그리스를 주입한다.

⑪ 스태빌라이저 링크 볼 조인트 스터드를 몇 번 흔든다.

⑫ 볼 조인트에 셀프 로킹 너트를 장착한 후 볼 조인트 회전 토크를 측정한다.

• 기준값 : 17~32 kgf·m

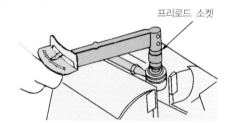 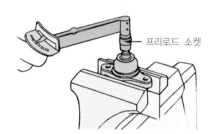

알아두기

꿈 **타이로드 엔드 회전 토크 점검**

① 조립 후 약 24시간 경과 후 상온에서 요동 3°, 회전 30°로 5회 실시 후 0.5~2rpm에서 측정할 것.

② 측정값이 기준값을 초과했을 경우 스태빌라이저 링크를 교환한다.

③ 회전 토크가 기준치 미만일지라도 이상 마모 및 헐거움이 과다한 경우 외에는 볼 조인트를 재사용 할 수도 있다.

꿈 **로어 암 볼 조인트 회전 토크 점검**

① 조립 후 약 24시간 경과 후 상온에서 요동 3°, 회전 30°로 5회 실시 후 0.5~2rpm에서 측정할 것.

② 측정값이 기준값을 미만일 경우에는 볼 조인트 어셈블리를 교환한다.

③ 회전 토크가 기준값을 초과했을지라도 15kgf·cm 이상인 경우 외에는 볼 조인트를 재사용 할 수도 있다.

04 로어 암 볼 조인트 유격/프리로드 점검

1 로어 암 볼 조인트 유격 점검 방법

① 부싱의 마모 및 변형 여부를 점검한다.

② 로어 암의 굽음 및 균열 여부를 점검한다.

③ 볼 조인트 더스트 커버의 손상 여부를 점검한다.

④ 모든 볼트의 손상 여부를 점검한다.

⑤ 이상 마모 및 헐거움이 과다한 경우에는 볼 조인트를 교환한다.

동영상

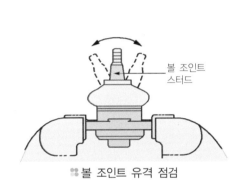
볼 조인트 스터드

❖ 볼 조인트 유격 점검

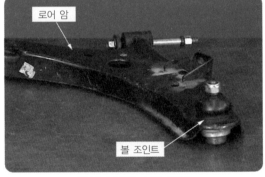
로어 암

볼 조인트

❖ 볼 조인트 설치 위치

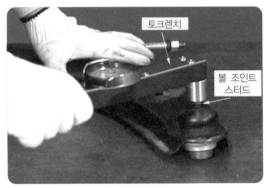
토크렌치

볼 조인트 스터드

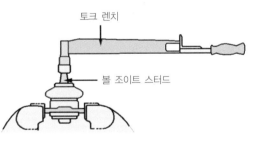
토크 렌치

볼 조이트 스터드

❖ 볼 조인트 프리로드 측정

2 로어 암 볼 조인트 프리로드 점검 방법

① 조립 후 약 24시간 경과 후 상온에서 요동 3°, 회전 30°로 5회 실시 후 0.5~2rpm에서 측정할 것.

184

② 측정값이 기준값 미만일 경우에는 볼 조인트 어셈블리를 교환한다.

③ 회전 토크가 기준값 미만일지라도 이상 마모 및 헐거움이 과다한 경우 외에는 볼 조인트를 재사용 할 수도 있다.

■ 차종별 기준값

차종	규정값	비고
엘란트라	0.2~0.9kgf·m	
쏘나타	0.2~0.9kgf·m	
베르나, 아반떼	35~100kgf·cm	회전시작 토크
EF 쏘나타	0.05~0.25kgf·m	
그랜저 XG	2~10kgf·cm	

05 리어 쇽업소버 교환

① 리어 현가장치의 구성품

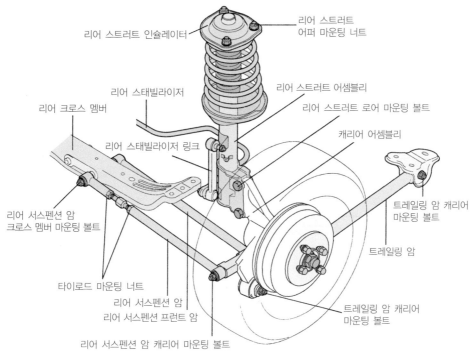

🔹 리어 현가장치 구성 부품

❷ 리어 스트러트 탈착 방법

① 리어 시트 쿠션을 들어 올리고 리어 쿠션과 리어 시트백 사이의 마운팅 볼트를 푼 후 리어 시트 백 양 끝의 마운팅 볼트를 풀어 리어 시트를 탈거한다.

② 리어 스트러트 어퍼 마운팅 너트 3개를 분리한 후 리어 휠 및 타이어를 탈거한다.

③ 리어 스트러트에서 클립을 탈거하여 브레이크 호스를 분리한다.

:: 마운팅 너트 분리

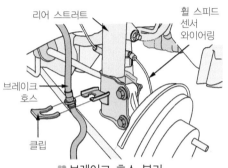

:: 브레이크 호스 분리

④ 리어 스트러트에서 볼트를 분리하여 휠 스피드 센서 와이어 링을 분리한다.

⑤ 스트러트에서 스태빌라이저 링크 너트를 풀고 스태빌라이저 링크를 탈거한다.

⑥ 스트러트 하부 체결 볼트를 풀고 리어 스트러트 어셈블리를 탈거한다.

⑦ 부착은 탈착의 역순에 의한다.

:: 휠 스피드 센서 와이어 링 분리

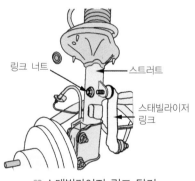

:: 스태빌라이저 링크 탈거

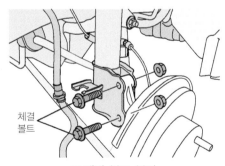

:: 체결 볼트 분리

③ 쇽업소버(스트러트) 분해 조립 및 작동 점검 방법

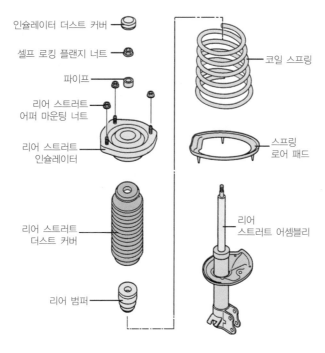

인슐레이터 더스트 커버

셀프 로킹 플랜지 너트

파이프

리어 스트러트
어퍼 마운팅 너트

리어 스트러트
인슐레이터

리어 스트러트
더스트 커버

리어 범퍼

코일 스프링

스프링
로어 패드

리어
스트러트 어셈블리

:: 쇽업소버의 구성 부품

1. 쇽업소버 분해

① 스트러트 하단부의 브래킷에 1개의 볼트를 체결한 후 브래킷을 바이스에 또는 쇽업소
버 스프링 잭에 고정시킨다.

② 스트러트 컴프레서를 이용하여 코일 스프링에 약간의 장력이 있을 때까지 압축한다.

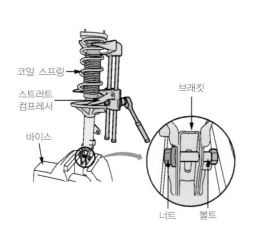

코일 스프링

스트러트
컴프레서

바이스

브래킷

너트   볼트

:: 코일 스프링 압축

③ 인슐레이터 더스트 커버를 분리하고 스트러트 상부의 셀프 로킹 플랜지 너트를 분리한다.

④ 스트러트에서 인슐레이터, 코일 스프링, 스프링 로어 패드, 러버 범퍼 및 더스트 커버를 탈거한다.

셀프 록킹 플랜지 너트 분리

스트러트 인슐레이터 탈거

2. 쇽업소버 작동 점검

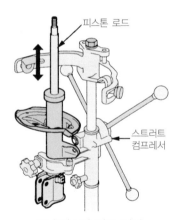

속업소버 작동 점검

① 스트러트 하단부의 브래킷에 1개의 볼트를 체결한 후 브래킷을 바이스(또는 스트러트 컴프레서)에 고정시킨다.

② 쇽업소버의 피스톤 로드를 손으로 잡고 일정한 속도로 압축, 인장시키면서 불규칙적인 작동이나 저항 및 소음을 점검한다.

③ 비정상적인 저항이나 소음이 느껴지면 쇽업소버(스트러트)를 신품으로 교환한다.

3. 쇽업소버 조립

① 스프링 로어 패드 돌기 부분이 스프링 로어 시트의 구멍에 들어가도록 스프링 로어 패드를 설치한다.

② 스트러트에 러버 범퍼와 더스트 커버를 설치한다.

③ 스트러트 컴프레서를 이용하여 코일 스프링을 압축시킨다.

④ 피스톤 로드를 최대한 인장시켜 압축된 코일 스프링을 설치한다.

⑤ 코일 스프링 하단 부분을 스프링 시트의 홈에 일치시킨 후 셀프 로킹 플랜지 너트와 파이프를 임시로 설치한다. 셀프 로킹 플랜지 너트는 재사용하지 않는다.

⑥ 로어 스프링 시트의 구멍과 인슐레이터의 돌기 부분을 일치시킨 후 조립한다.

⑦ 스트러트 컴프레서를 탈거한 후 셀프 로킹 플랜지 너트를 규정 토크로 조인다.

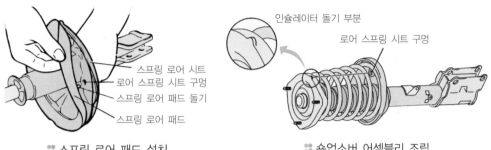

스프링 로어 시트
로어 스프링 시트 구멍
스프링 로어 패드 돌기
스프링 로어 패드

:: 스프링 로어 패드 설치

인슐레이터 돌기 부분
로어 스프링 시트 구멍

:: 쇽업소버 어셈블리 조립

④ 각종 쇽업소버(스트러트)

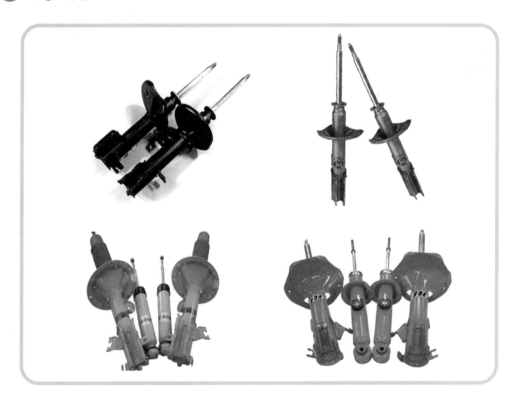

06 ECS 자기진단

1 ECS (Electronic Control Suspension System-전자제어 현가장치) 시스템도

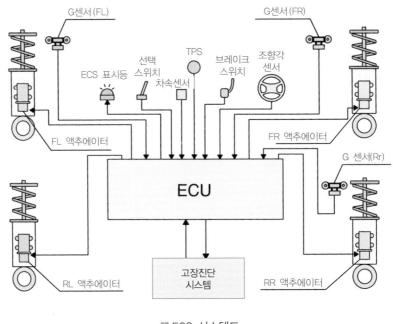

:: ECS 시스템도

2 전자제어 현가장치(ECS) 구성부품의 설치위치 및 기능

① **공기 압축기 릴레이** : 공기 압축기 모터의 전원을 연결하거나 차단한다.

② **앞 솔레노이드 밸브** : HARD, SOFT 선택 에어밸브와 차고 조절 에어밸브로 구성되며 차고 조정 중 공기압력의 조절 및 솔레노이드 밸브를 개폐시킴으로서 현가 특성을 HARD(안락한 승차감), SOFT(안정된 조향성)로 선택하는 기능을 한다.

③ **앞 스러스트 유닛** : 스프링(메인 및 보조)과 감쇠력 2단 절환 밸브가 내장되어 있으며 스프링 상수 및 감쇠력을 HARD 또는 SOFT로 선택하는 기능과 차고를 조정하는 기능이 있다.

④ **차속 센서** : 차량 속도를 감지하여 컨트롤 유닛으로 신호를 전송시킨다.

⑤ **조향 휠 각도 센서** : 조향 휠의 작동을 감지하여 ECU로 신호를 전송시킨다.

⑥ **뒤 솔레노이드 밸브** : 앞 솔레노이드와 같은 역할을 한다.

⑦ **에어 액추에이터** : 앞, 뒤 스트러트 유닛 상부에 장착되며 유닛의 스위칭 로드를 회전시켜 HARD 또는 SOFT 등 현가 특성을 선택하게 한다.

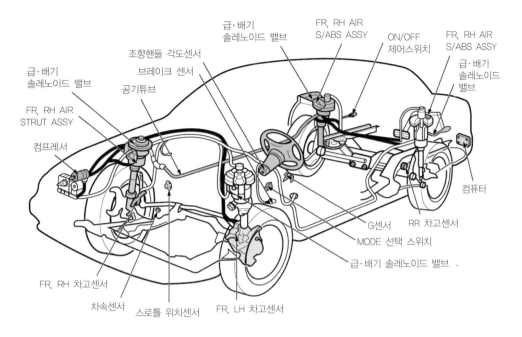

급·배기
솔레노이드 밸브

조향핸들 각도센서

브레이크 센서

급·배기
솔레노이드 밸브

공기튜브

FR, RH AIR
STRUT ASSY

컴프레서

FR, RH AIR
S/ABS ASSY

ON/OFF
제어스위치

FR, RH AIR
S/ABS ASSY

급·배기
솔레노이드
밸브

컴퓨터

G센서

RR 차고센서

MODE 선택 스위치

급·배기 솔레노이드 밸브 .

FR, RH 차고센서

차속센서

스로틀 위치센서

FR, LH 차고센서

:: ECS 구성부품의 설치 위치

⑧ **뒤 쇽업소버 유닛** : 앞 스트러트 유닛과 동일함.

⑨ **ECU** : 각종 센서로부터 입력 신호를 받아 차량 상태를 파악하여 각종 액추에이터를 작동시킨다.

⑩ **뒤차고 센서** : 차량 뒤쪽의 높이를 감지하여 ECU로 신호를 전송시킨다.

⑪ **전조등 릴레이** : 전조등이 "ON" 또는 "OFF" 되었는가를 ECU로 신호를 전송시킨다.

⑫ **스로틀 포지션 센서(TPS)** : 액셀러레이터 페달의 작동 속도를 나타내는 신호를 ECU로 전송한다.

⑬ **앞 차고 센서** : 차량 앞쪽의 높이를 감지하여 컨트롤 유닛으로 신호를 전송시킨다.

⑭ **배기 솔레노이드 밸브** : 공기 압축기에 장착되어 차고를 낮출 때 공기를 배출시키기 위하여 밸브를 개방한다.

⑮ **압력 스위치** : 공기 탱크에 장착되며, 탱크 내의 공기 압력을 감지하여 압축기 릴레이를 ON, OFF한다.

⑯ **ECS 인디케이터 패널** : 운전석에서 현가 특성 절환 신호와 차고 조정 모드 변환 신호를 ECU로 전송하며 각 기능의 제어 상태를 나타낸다.

⑰ **공기 압축기(컴프레서)** : 전동기를 사용하여 차고를 높이고 HARD, SOFT로 변환시키기 위한 압축 공기를 발생한다.

⑱ **공기 공급 밸브** : 공기 탱크에 장착되며 차고를 높일 때 공기 밸브를 개방하여 압축 공기를 공급한다.

⑲ **공기 탱크(리저버 탱크)** : 압축 공기의 수분 제거용 건조기가 내장되어 있고 압축 공기를 저장하는 역할을 한다.

⑳ **AC 발전기** : L단자에서 ECU로 엔진 작동 또는 가동 정지 여부를 전송한다.

㉑ **제동등 스위치** : 브레이크 페달의 작동을 ECU로 전송한다.

㉒ **자기 진단 출력 커넥터** : 자기 진단 코드의 신호를 출력한다.

㉓ **도어 스위치** : 도어의 개폐를 ECU에 전송한다.

㉔ **G-센서** : 차량의 요철 노면을 검출하는 센서로 차체의 상·하 진동을 검출한다.

③ 전자제어 현가장치(ECS) 구성부품의 입출력 선도

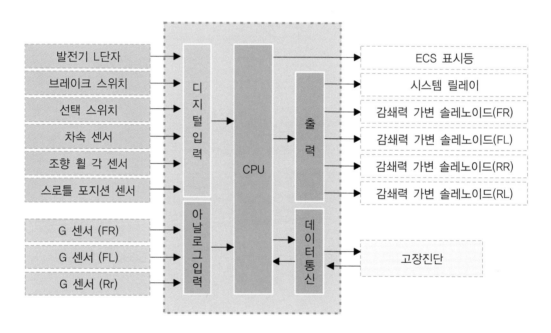

 ECS 구성부품의 입출력 선도

④ 전자제어 현가장치(ECS) 진단기(스캐너)에 의한 점검 방법

1. 자기진단

① 점화 스위치를 ON으로 한 다음 하이스캔의 ON/OFF 버튼을 0.5초 동안 누른다 (OFF시킬 때는 약 2초간 누른다).

② 잠시 후 하이스캔 기본 로고, 소프트웨어 카탈로그가 화면에 나타난다.

동영상

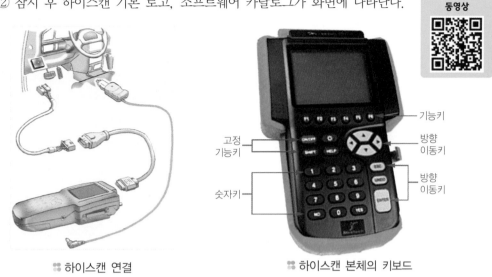

기능키

고정
기능키

방향
이동키

방향
이동키

숫자키

:: 하이스캔 연결   :: 하이스캔 본체의 키보드

③ 로고 화면에서 Enter↵ 를 누른 후 아래 순서에 맞추어서 측정한다.

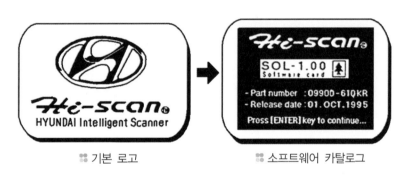

:: 기본 로고   :: 소프트웨어 카탈로그

③ 로고 화면에서 Enter↵ 를 누른 후 아래 순서에 맞추어서 측정한다.

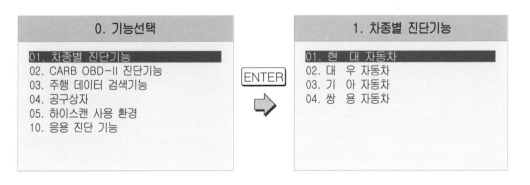

0. 기능선택

01. 차종별 진단기능
02. CARB OBD-Ⅱ 진단기능
03. 주행 데이터 검색기능
04. 공구상자
05. 하이스캔 사용 환경
10. 응용 진단 기능

ENTER

1. 차종별 진단기능

01. 현 대 자동차
02. 대 우 자동차
03. 기 아 자동차
04. 쌍 용 자동차

193

1. 차종별 진단기능
01. 아토스
02. 엑센트
03. 엑 셀
04. 스쿠프
05. 아반떼
06. 티뷰론
07. 엘란트라
08. EF 쏘나타

ENTER ⇨

1. 차종별 진단기능
차종 : EF 쏘나타
01. 엔진제어 FBM
02. 엔진제어 DOHC
03. 엔진제어 V6-DOHC
04. 자동변속
05. 제동제어
06. 에어백
07. 트랙션장치
08. 현가장치

1. 차종별 진단기능
차 종 : EF 쏘나타
사 양 : 엔진제어 V6-DOHC
01. 자기진단
02. 센서출력
03. 주행검사
04. 액추에이터 검사
05. 센서출력 & 시뮬레이션
06. 각종 학습치 소거
07. A/T&TCS 학습 수정

ENTER ⇨

1.1 자기진단
P1602 ECU-TCU 통신선 이상
고장 항목 개수 : 1개
TIPS ERAS

2. 고장 진단표

고장코드	문 제	원 인
솔레노이드 밸브 이상	앞 또는 리어 솔레노이드 밸브의 HARD/SOFT 스위치 절환용 에어밸브 드라이브 회로의 분리 또는 단락 및 컨트롤 유닛 내의 드라이브 트랜지스터의 회로 단락(경고등이 들어오고 SOFT상태)	• 앞 또는 뒤 솔레노이드 밸브 커넥터가 분리 • HARD/SOFT 스위치 절환용 솔레노이드의 손상 또는 분리 • 커넥터 분리 또는 하니스 단락
차속 센서 이상	차속 센서 압력회로가 분리 또는 단락되었거나 차속 센서의 결함(경고등이 들어옴 HARD 상태)	• 차속 센서 내의 단락 또는 분리 • 차속 센서 입력회로 하니스의 단락 또는 분리 • 스로틀 포지션 센서 내측 회로의 단락
스티어링 각속도 센서 이상	스티어링 각속도 센서 입력회로가 단락되었거나 분리 또는 스티어링 각속도 센서의 결함 (경고등이 들어오고 HARD상태)	• 스티어링 각속도 센서 커넥터의 분리 • 스티어링 각속도 센서의 결함 • 스티어링 각속도 센서의 출력회로 하니스의 분리 또는 커넥터의 분리

194

고장코드	문 제	원 인
프런트 차고 센서 이상	앞 차고 센서로부터 비정상 상태의 시그널이 입력 또는 컨트롤 유닛 내의 차고 조정 회로의 결함(경고등이 들어오고 HARD상태, 차고 조정 작동이 정지) 【참고】 에어 컴프레서의 작동은 가능. 결함여부를 판단하기 위해서 약 32초가 소요	• 앞 차고 센서 커넥터의 분리 • 앞 차고 센서의 결함 • 앞 차고 센서 회로 하니스의 단락 또는 분리 • 커넥터의 분리 • 컨트롤 유닛의 결함
리어 차고 센서 이상	뒤차고 센서로부터 비정상상태 시그널이 입력되거나 컨트롤 유닛 내의 차고 조정회로의 결함(경고등이 들어오고 HARD상태, 차고 조정 작동이 정지	• 뒤차고 센서 커넥터의 분리 • 뒤차고 센서의 결함 • 뒤차고 센서 회로 하니스의 단락 또는 분리 • 커넥터의 분리 • 컨트롤 유닛의 결함
ALT "L"단자 이상	이그니션 키가 ON상태에서 올터네이터 L터미널의 출력 전압이 5V이하이며 차속은 약 40km/h이상[충전경고등이 들어오고, 차량이 정지되어 있을 때(약 3km/h의 차속)전자제어 서스펜션 기능이 작동되지 않음	• 올터네이터 L터미널 출력전압이 낮음 • 컨트롤 유닛과 올터네이터 L터미널간의 하니스가 단락
배기 솔레노이드 이상	에어 컴프레서 내의 배기 솔레노이드 밸브가 단락 또는 분리되거나 컨트롤 유닛내의 드라 이브 트랜지스터의 단락(경고등이 켜지고 SOFT모드 상태이며 차고조정 작동이 정지	• 배기 솔레노이드 커넥터의 분리 • 배기 솔레노이드 밸브 코일의 단락 또는 분리 • 회로 단락 또는 커넥터 분리 • 컨트롤 유닛의 결함(출력 트랜지스터의 결함)
컴프레서 릴레이 이상	에어 컴프레서 릴레이 드라이브 회로의 단락 또는 컨트롤 유닛 내의 드라이브 트랜지스터의 단락	• 에어 컴프레서 릴레이의 분리 • 에어 컴프레서 릴레이 코일의 단락 • 회로 하니스의 단락 • 컨트롤 유닛의 결함
급기 솔레노이드 밸브 이상	에어 공급 솔레노이드 밸브 드라이브 회로의 단락 또는 컨트롤 유닛 내의 드라이브 트랜지 스터 회로의 단락(경고등이 켜지고 SOFT모드 상태이며 차고조정 작동이 정지)	• 에어 공급 솔레노이드 밸브의 분리 • 에어 공급 솔레노이드 밸브 코일의 단락 • 컨트롤 유닛의 결함 • 회로 하니스의 단락
프런트 차고 조정 솔레노이드 밸브 이상	앞 솔레노이드 밸브 차고 조정 에어 밸브의 회로 단락 또는 컨트롤 유닛 내의 드라이브 트랜지스터의 단락(경고등이 켜지고 SOFT 모드 상태 이며 차고 조정 작동이 정지	• 앞 차고 조정 솔레노이드 밸브 코일의 단락 • 회로 하니스의 단락 • 컨트롤 유닛의 결함(출력 트랜지스터의 결함)

195

고장코드	문 제	원 인
리어 차고 조정 솔레노이드 밸브 이상	뒤 솔레노이드 밸브 차고 조정 에어 밸브 드라이브 회로의 단락 또는 컨트롤 유닛 내의 드라이브 트랜지스터의 단락(경고등이 켜지고 SOFT 모드 상태이며 차고 조정 작동이 정지)	• 뒤차고 조정 솔레노이드 밸브 코일의 단락 • 회로 하니스의 단락 • 컨트롤 유닛의 결함(출력 트랜지스터의 결함)
차고 조정 기능 이상	압력 스위치가 OFF상태에서 리저버 탱크의 압력이 충분하더라도 3분이 경과하여도 차고 조정이 끝나지 않는다.(경고등이 켜지고 SOFT 모드 상태이며 차고 조정 작동이 정지).	• 과부하 • 앞 또는 뒤차고 센서의 부적절한 조정 • 차고 조정에 에어 압력 라인의 막힘 • 뒤 쇽업소버 에어 스프링 또는 앞 스트러트 유닛의 결함 • 컨트롤 유닛의 결함
리저브 탱크 압력 이상	리저버 탱크 내의 압력이 낮으며(압력 스위치는 ON)3분 경과 후에도 차고 조정이 완료되지 않거나 4분 이상 에어 컴프레서가 계속 작동됨(경고등이 켜지고 SOFT모드 상태이며 차고 조정 작동이 정지)	• 에어 누설 • 에어 컴프레서 비정상적 상태

제 7 장

조향장치 정비

01 타이로드 엔드 교환

1 타이로드 엔드 교환 방법

동영상

1. 타이로드 엔드의 설치위치

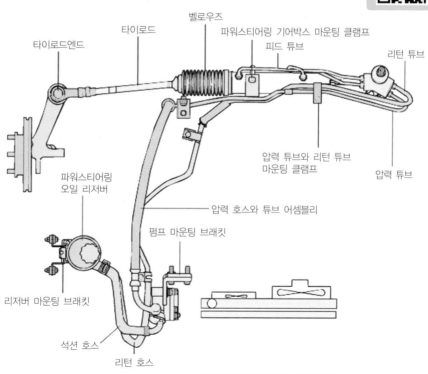

❈ 타이로드 엔드의 설치위치

197

2. 타이로드 엔드의 탈거 방법

① 차량을 평탄한 장소에 놓고 주차 브레이크를 채운다.

② 바퀴를 잭으로 들고 스탠드로 지지한 후 바퀴를 탈거한다.

③ 타이로드 엔드의 고정나사를 약간 풀어 놓는다.

④ 타이로드에 나사산이 몇 개인지를 확인한다. 또는 타이로드와 엔드와의 길이를 측정하여 둔다.

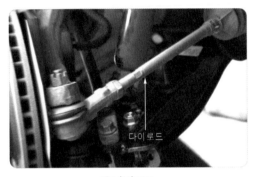

:: 타이로드

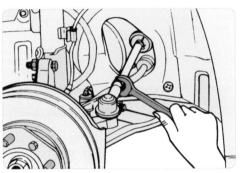

:: 타이로드 엔드 고정나사

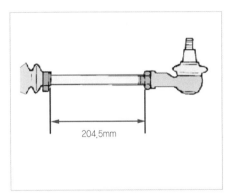

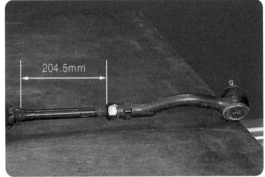

:: 길이 측정

⑤ 엔드 볼의 슬로트 너트에서 스플릿 핀을 제거한다.

⑥ 엔드 볼의 슬로트 너트를 볼트 끝단에 일치할 때까지 푼다.

:: 각종 슬로트 너트

⑦ 타이로드 엔드 풀러를 사용하여 엔드 볼을 가압한 후 스티어링 암에서 엔드 볼을 분리한다.

⑧ 타이로드 엔드를 돌려서 타이로드로부터 분리한다.

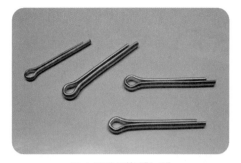

✲ 스플릿 핀(분할 핀)

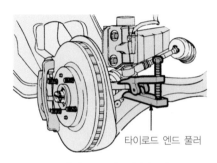

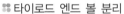

✲ 타이로드 엔드 볼 분리

✲ 엔드의 분리

3. 타이로드 엔드의 조립 방법

① 새것의 타이로드 엔드를 타이로드에 설치한다.(표시하여 놓은 위치까지)

② 엔드 볼 조인트 나사를 조향 너클에 조립하고 너트를 규정 토크로 조이고 분할 핀으로 고정한다.

③ 엔드 로크너트를 조인 후 사이드슬립을 측정하여 규정값 범위에 들도록 조정한다.

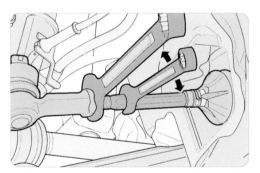

✲ 타이로드 길이 조정

199

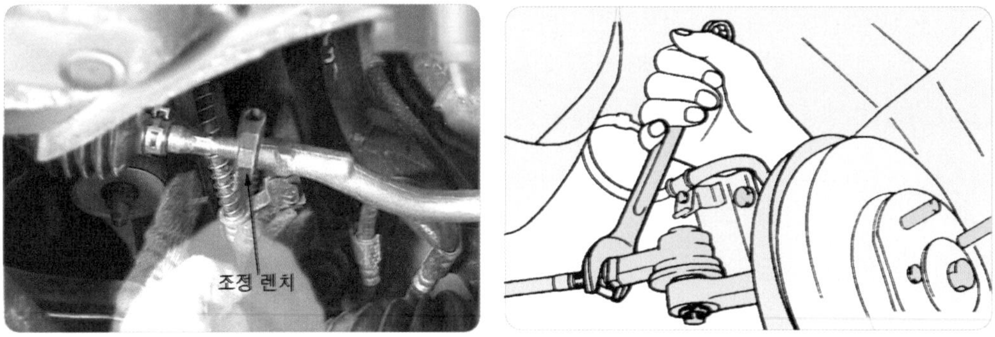

타이로드 고정 볼트 조립

2 타이로드 엔드 교환 현장사진

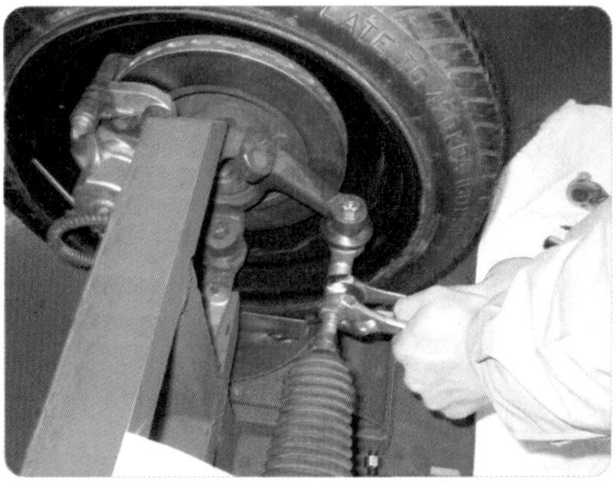

타이로드 엔드 고정 볼트 풀기

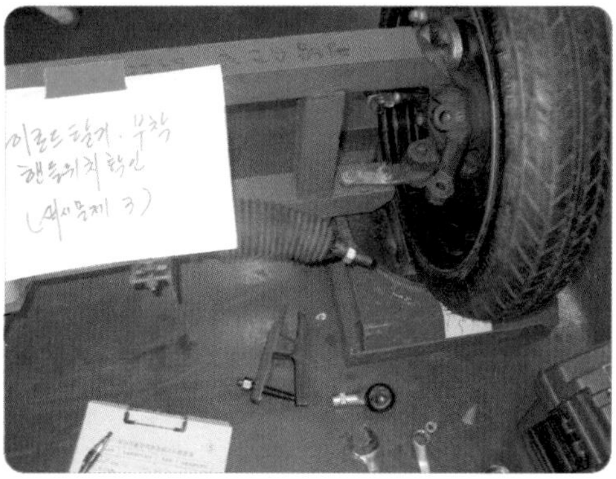

엔드 탈거 상태

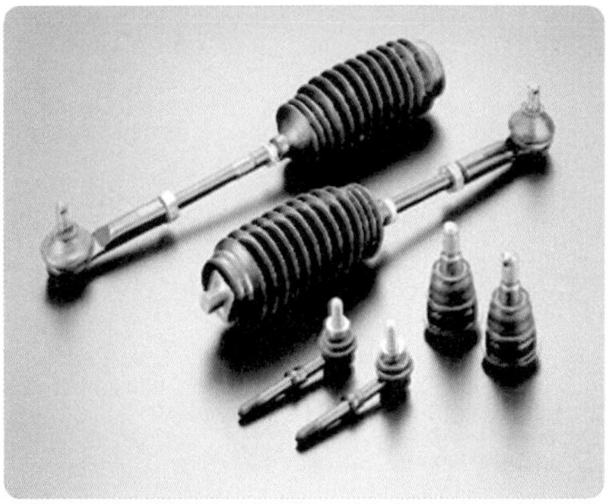

각종 타이로드 엔드

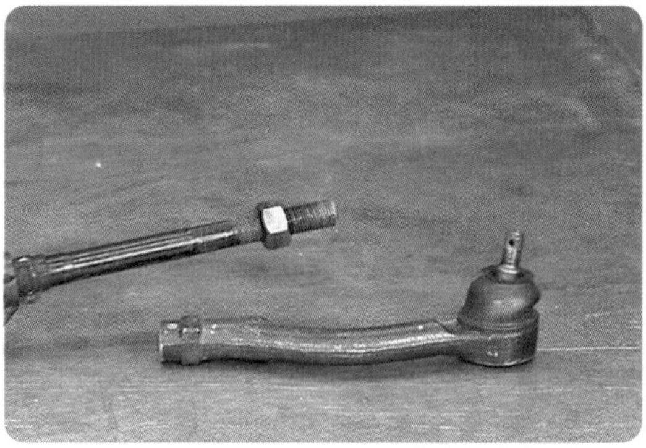

분해된 타이로드와 엔드

02 파워 스티어링 오일펌프 교환

동영상

동영상

1 파워 스티어링(Power Steering)의 구성

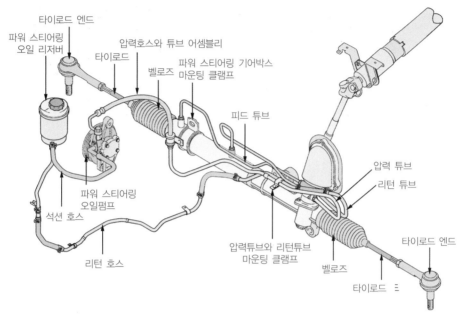

❖ 파워 스티어링의 구성

2 파워 스티어링 오일 펌프 탈착 방법

① 오일 펌프에서 압력 호스를 탈거하고 석션 파이프에서 석션 호스를 분리하여 오일을 배출시킨다.

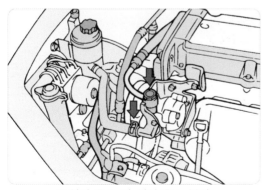
❖ 압력 호스 및 석션 호스 분리

❖ 오일 펌프 설치 위치

201

② 파워 스티어링 V벨트 텐션 조정 볼트를 푼다.

③ 파워 스티어링 오일 펌프로부터 V벨트를 탈거한다.

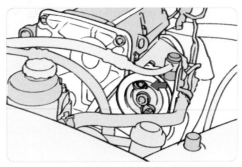

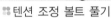

❖ 텐션 조정 볼트 풀기

❖ V벨트 탈거

④ 파워 스티어링 오일 펌프 마운팅 볼트와 장력 조정 볼트를 푼 후 파워 스티어링 오일
펌프 어셈블리를 탈거한다.

⑤ 파워 스티어링 오일 펌프 마운팅 브래킷을 탈거한다.

⑥ 장착 순서는 탈착 순서의 역순으로 한다.

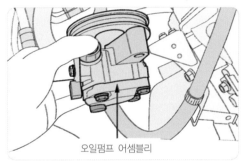

오일펌프 어셈블리

❖ 오일펌프 어셈블리 탈거

동영상

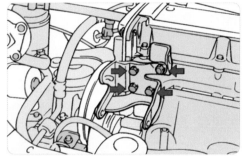

❖ 마운팅 브래킷 탈거

③ 파워 스티어링 공기빼기 방법

① 고압 케이블을 분리시킨 후 기동 전동기
를 주기적으로(15~20초) 작동시키면서
조향 핸들을 좌 · 우측으로 완전히 5~6
정도 회전시킨다. 이때 오일량이 필터의
아랫부분 밑까지 떨어지지 않도록 오일
을 공급하여야 하고, 엔진이 공전하는 상
태에서 공기 빼기를 하면 공기가 분해되

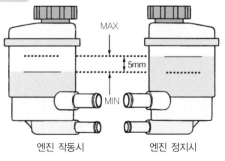

MAX

5mm

MIN

엔진 작동시   엔진 정지시

❖ 오일량 비교

어 오일에 흡수되므로 반드시 크랭킹하면서 공기빼기 작업을 해야 한다.

② 점화 케이블을 연결하고 엔진을 시동시킨 후 공전시킨다.

③ 오일 리저버에 공기방울이 없어질 때까지 조향 핸들을 좌·우로 회전시킨다.

④ 오일이 탁하지 않은지와 오일량이 규정값 이내에 있는지를 확인한다.

⑤ 조향 핸들을 좌·우측으로 회전시켰을 때 오일량이 약간 변화하는지를 확인한다. 이때 오일량이 5mm이상 차이가 나면 공기빼기 작업이 불완전한 것이므로 다시 공기빼기 작업을 해야 한다. 또 엔진을 정지시켰을 때 오일량이 갑자기 상승하면 공기빼기가 잘못된 것이다. 공기빼기 작업이 불완전하면 펌프와 제어밸브에서 소음이 나며, 펌프의 수명이 단축된다.

❹ 파워 스티어링 오일펌프 교환 현장 작업

❇ 파워 펌프 및 벨트 위치

❇ 조정 볼트 풀기

❇ 파워 벨트 탈거

❇ 파워 벨트 조립

5 차종별 파워 스티어링 오일펌프

❖ 갤로퍼

❖ 프런티어

❖ 아반떼

❖ 엘란트라

03 조향 휠 유격 점검

동영상

1 조향 휠 유격 점검 방법

1. 측정 조건

　① 자동차는 공차상태의 자동차에 운전자 1인이 승차한 상태로 한다.

　② 타이어의 공기압력은 표준 공기압력으로 한다.

　③ 자동차를 건조하고 평탄한 기준면에 조향축의 바퀴를 직진위치로 정차시키고 기관은
　　시동한 상태로 한다.

　④ 자동차의 제동장치(주차 제동장치 포함)는 작동하지 않은 상태로 한다.

2. 측정 방법

　① 조향 휠을 움직여 직진의 위치로 한다.

② 직진위치의 상태에 놓인 자동차 조향 바퀴의 움직임이 느껴지기 전까지 조향 휠을 좌 회전시키고 이때 조향 휠 상의 한 점과 인스트루먼트 패널 한 부분에 표시한다.

③ ②항의 상태에서 조향 휠을 반대로 돌려 힘이 느껴지는 부분에서 조향 휠을 인스트루 먼트 패널과 만난 점을 표시한다.

③ 조향 휠의 점과 점 사이의 직선거리가 유격이다.

💢 조향 휠 유격 점검(1)

💢 조향 휠 유격 점검(2)

💢 조향 휠 유격 점검(3)

④ 자동차 조향 휠의 유격(조향 바퀴가 움직이기 직전까지 조향 휠이 움직인 거리)의 규 정값은 당해 자동차 정비기준(정비), 또는 조향 휠 지름의 12.5%(검사기준)이내여야 한다.

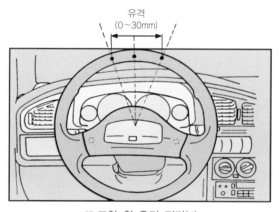

💢 조향 휠 유격 점검(4)

TIP ••

① **정비기준 일 때** : 제작사의 정비기준을 제시하고 있다.

② **검사기준 일 때** : 수검자가 자동차 성능기준에 관한규칙 제14조에 성능기준값을 기입한다.(조향핸들 직경의 12.5% 이내이므로 핸들의 직경이 380mm × 12.5/100=47.5mm)

■ 차종별 조향 핸들 유격 기준값

차종	기준값	차종	기준값
아반떼 MD	0~30mm	K3 YD	0~30mm
쏘나타 YF	0~30mm	K5 JF	0~30mm
쏘나타 LF	0~30mm	K7 YG	0~30mm
쏠라티 EU	0~30mm	모하비 HM	0~30mm
싼타페 TM	0~30mm	스포티지QL	0~30mm
I30 PD	0~30mm	쏘울 SK3	0~30mm
I40 VF	0~30mm	봉고3 PU	1.4톤 15~30mm

3. 유격이 커지는 원인

① 조향기어 백래시의 조정 불량
② 스티어링 기어의 마모 증대
③ 조향 링키지의 마모
④ 킹핀 또는 볼 조인트의 마모

❷ 조향 휠 유격의 조정 방법

1. 볼 너트 형식

고정 너트를 풀고 조정 스크루를 조이면 유격이 감소하고, 풀면 유격이 증가한다.

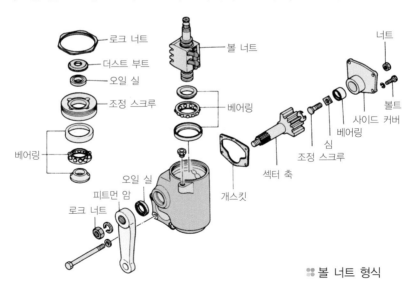

➡ 볼 너트 형식

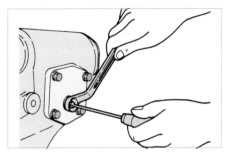

∷ 볼 너트 형식 유격 조정

2. 랙과 피니언 형식

조향기어 박스의 아래에 있는 요크 플러그를 조이면 유격이 작아지고 풀면 유격이 증가
한다.

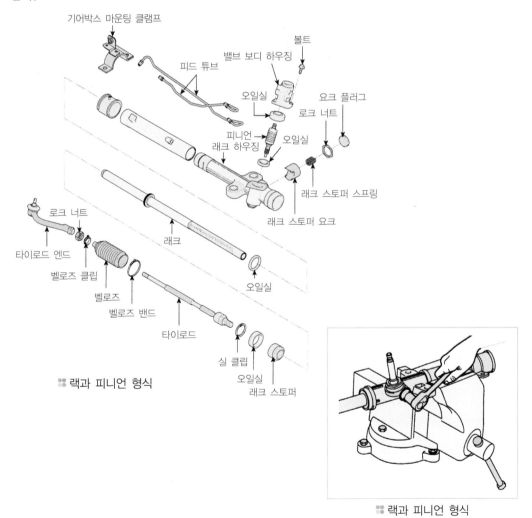

∷ 랙과 피니언 형식

∷ 랙과 피니언 형식

207

04 축거 / 조향각 / 최소회전반경 측정

1 축거(축간거리) 측정 방법

축거 측정은 앞·뒤 차축 중심사이의 수평거리를 측정하며, 3축 이상의 자동차에 있어서는 앞쪽으로부터 제 1·제2축 사이의 거리 등으로 분리하여 측정하여야 하며, 무한궤도형 자동차에 있어서는 무한궤도의 접지부 길이를, 피견인 자동차의 경우에는 연결부(제5륜)의 중심에서 뒤차축 중심까지의 수평거리를 측정한다.

:: 전장, 축거, 오버행

:: 전고

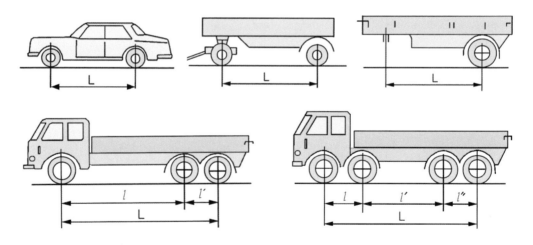

L : 축간거리 l : 제1축간거리
l' : 제2축간거리 l'' : 제3축간거리

:: 차종별 축거

■ 차종별 축간거리 및 조향각 기준값

차종	축거	조향각	
		내측	외측
아반떼 MD	2700mm	39.90° +0.5°, −1.5°	32.80°
쏘나타 YF	2795mm	39.83°±1.5°	33.01°
쏘나타 LF	2795mm	40.45°±2°	33.50°
아반떼 CN7	2720mm	39.70° +0.5°, −1.5°	32.70°
싼타페 TM	2765mm	33.5°~37.5°	31.5°
I30 PD	2650mm	39.50° +0.5°, −1.5°	32.60°
I40 VF	2770mm	40.04°±1.5°	32.96°
K3 YD	2700mm	39.60°±1.5°	32.50°
K5 JF	2850mm	40.48°±2.0°	33.50°
K7 YG	2855mm	38.80° +0.5°, −1.5°	32.50°
모하비 HM	2895mm	39.75°±1°30'	34.30°
스포티지QL	2630mm	39.50° +0.5°, −1.5°	32.30°
쏘울 SK3	2570mm	37°~39°	31.90°
봉고3 PU	2810mm	38.85°	34.54°

② 최대 조향각 측정 방법

① 자동차 앞바퀴를 잭으로 들고 회전반경 게이지
(turn table)의 중심에 올려놓는다. 이때 자동차
를 수평으로 하기 위하여 뒤 바퀴에도 회전반경
게이지 두께의 받침판을 고인다.
② 앞바퀴를 직진상태로 한다.
③ 자동차 앞쪽을 2~3회 눌러 제자리를 잡을 수 있
도록 한다.
④ 앞바퀴 허브 중심에서 뒷바퀴 허브 중심사이의
거리(축거)를 측정한다.
⑤ 회전반경 게이지의 고정 핀을 빼낸다.

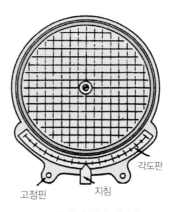

각도판
고정핀   지침

❈ 회전 반경 게이지

⑥ 좌·우로 조향핸들을 최대로 회전시킨 후 조향각을 읽는다. 이때 조향각은 자동차에 따라서 다르나 일반적으로 안쪽이 크고, 바깥쪽은 안쪽보다 작다.

:: 최대 조향각 측정

③ 최소회전반경 측정 방법

자동차의 최소회전반경은 바깥쪽 앞바퀴자국의 중심선을 따라 측정할 때에 12미터를 초과하여서는 아니된다.

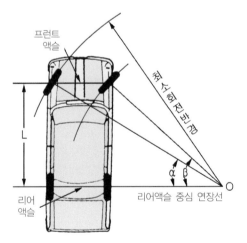

1. 측정 조건

① 측정 대상 자동차는 공차상태이어야 한다.
② 측정 대상 자동차는 측정 전에 충분한 길들이기 운전을 하여야 한다.
③ 측정 대상 자동차는 측정 전 조향륜 정렬을 점검하여야 한다.
④ 측정 장소는 평탄 수평하고 건조한 포장도로이어야 한다.

2. 측정 방법

① 변속기어를 전진 최하단에 두고 최대의 조향각도로 서행하며, 바깥쪽 타이어의 접지면 중심점이 이루는 궤적의 직경을 우회전 및 좌회전시켜 측정한다.

② 측정 중에 타이어가 노면에 대한 미끄러짐 상태와 조향장치의 상태를 관찰한다.

③ 좌회전 및 우회전에서 구한 반경 중 큰 값을 당해 자동차의 최소 회전 반경으로 하고 성능기준에 적합한지를 확인한다.

3. 최소 회전 반경 공식에 대입하여 산출하는 방법

최소 회전 반경 구하는 공식에 측정한 축거와 바깥쪽 바퀴의 최대 조향각 값을 대입하고 계산하여 구한다.

$$R = \frac{L}{\sin\alpha} + r$$

- R : 최소회전반경(m)
- sinα : 바깥쪽 앞바퀴의 조향각
- r : 바퀴 접지면 중심과 킹핀 중심과의 거리

exercise

측정한 축거가 2,500mm, 내측 조향각이 37°, 외측 조향각이 30°일 때 최소 회전 반경은? (단, r값은 100mm로 한다)

① 계산방법 : $R = \frac{2,500mm}{\sin30°} + 100mm = 5,100mm$

② 판   정 : 최소회전반경은 5.1m

211

제 8 장

전차륜 정렬

01 캠버각 점검

1 캠버각 점검 방법

1. 캠버의 정의

① 앞 바퀴를 앞에서 보았을 때 타이어 중심선이 수선에 대해 어떤 각도를 이룬 것

② **정의 캠버** : 타이어의 중심선이 수선에 대해 바깥쪽으로 기울은 상태

③ **부의 캠버** : 타이어의 중심선이 수선에 대해 안쪽으로 기울은 상태

④ **0 의 캠버** : 타이어 중심선과 수선이 일치된 상태

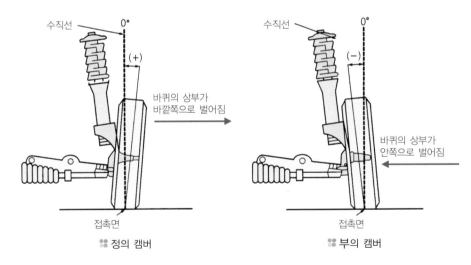

정의 캠버   부의 캠버

2. 캠버의 필요성

① 조향 핸들의 조작을 가볍게 한다.

② 수직 방향의 하중에 의한 앞 차축의 휨을 방지한다.

③ 바퀴가 허브 스핀들에서 이탈되는 것을 방지한다.

④ 바퀴의 아래쪽이 바깥쪽으로 벌어지는 것을 방지한다.

3. 캠버 측정 전 준비사항

측정하기 전에 준비 작업을 완벽하게 하여야 정확한 측정값을 얻을 수 있다.

① 점검 대상 차량을 공차 상태로 한다.

② 모든 타이어의 공기 압력을 규정값으로 주입하며, 트레드의 마모가 심한 것은 교환하여야 한다.

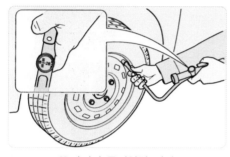
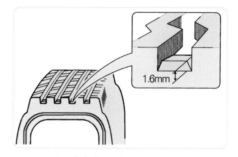

◆◆ 타이어 공기압력 점검   ◆◆ 타이어 트레드 마모 점검

③ 휠 허브 베어링의 헐거움, 볼 조인트 및 타이로드 엔드의 헐거움이 있는가 점검한다.

④ 조향 링키지의 체결 상태 및 마모를 점검한다.

⑤ 쇽업소버의 오일 누출 및 현가 스프링의 쇠약 등을 점검한다.

⑥ 모든 바퀴에 턴테이블을 설치하여 수평을 유지할 것

TIP ●● 앞바퀴만 턴테이블을 설치할 경우 뒷바퀴에는 동일한 높이로 하여야 한다.

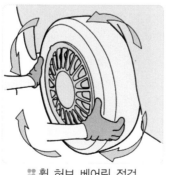
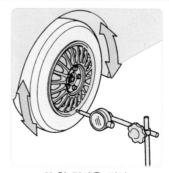

◆◆ 휠 허브 베어링 점검   ◆◆ 휠 런아웃 점검

213

⑦ 점검 대상 차량을 앞·뒤를 흔들어 스프링 설치 상태가 안정되도록 한다.

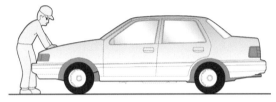

:: 쇽업소버 및 현가 스프링 점검

4. 캠버(camber) 측정방법

① 바퀴를 직진 상태에 있도록 하고 턴테이블의 고정 핀을 제거한 다음 각도판의 지침을 0점에 맞춘다.

② 바퀴의 그리스 캡을 떼어내고 휠 허브를 깨끗이 닦는다.

③ 휠 허브의 접촉면이 손상되어 있지 않은가 점검한다.

④ 게이지의 보호판을 떼어내고 포터블 게이지의 센터 핀(셀프 센터링 플런저)을 스핀들의 중심과 일치시켜 휠 허브에 충격이 없도록 접촉시킨다.

⑤ 수평의 기포를 중앙의 라인 내에 위치하도록 좌우로 조정하여 게이지가 수평이 되도록 한다.

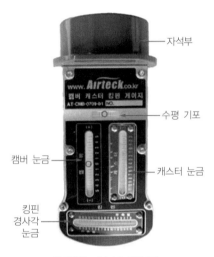

:: 캠버 캐스터 게이지

:: 턴테이블 설치

:: 캠버, 캐스터 게이지 설치

⑥ 캠버의 기포 중앙의 눈금을 읽는다.

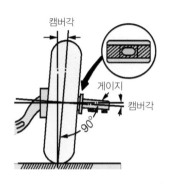

⁛ 캠버 측정

5. 차종별 규정값

차종	캠버		차종	캠버	
	앞차축	뒤차축		앞차축	뒤차축
I30 PD 1.6	−0.5°~±0.5°	−1.2°~±0.5°	K3 BD 1.6	−0.5°~±0.5°	−1.2°~±0.5°
I30 PD 1.4	−0.5°~±0.5°	−1.2°~±0.5°	K3 YD 1.6	−0.5°~±0.6°	−1.5°~±0.6°
I40 VF 1.7	−0.5°~±0.5°	−1.0°~±0.5°	K5 JF 1.6	−0.5°~±0.5°	−1.0°~±0.5°
I40 VF 2.0	−0.5°~±0.5°	−1.0°~±0.5°	K5 JF 2.0	−0.5°~±0.5°	−1.0°~±0.5°
벨로스터 JS 1.4	−0.5°~±0.5°	−1.2°~±0.5°	K7 YG 2.5	−0.535°~±0.5°	−1.0°~±0.5°
벨로스터 JS 1.6	−0.5°~±0.5°	−1.2°~±0.5°	K7 YG 3.0	−0.535°~±0.5°	−1.0°~±0.5°
싼타페 TM 2.0	−0.5°~±0.5°	−1.0°~±0.5°	레이 TAM 1.0	−0.5°~±0.5°	−0.5°~±0.5°
싼타페 TM 2.2	−0.5°~±0.5°	−1.0°~±0.5°	모닝 TA 1.0	−0.5°~±0.5°	−1.5°~±0.5°
쏘나타 YF 2.0	−0.5°~±0.5°	−1.0°~±0.5°	모하비 HM 3.0	−0.5°~±0.5°	−1.0°~±0.6°
쏘나타 LF 2.0	−0.5°~±0.5°	−1.0°~±0.5°	스포티지 QL 1.6	−0.5°~±0.6°	−1.0°~±0.6°
쏘나타 LF 1.7	−0.5°~±0.5°	−1.0°~±0.5°	스포티지 QL 2.0	−0.5°~±0.6°	−1.0°~±0.6°
쏘나타 LF 1.6	−0.5°~±0.5°	−1.0°~±0.5°	쏘울 PS 1.6	−0.5°~±0.5°	−1.5°~±0.6°
아반떼 MD	−0.5°~±0.5°	−1.5°~±0.5°	쏘울 SK3 1.6	−0.57°~±0.5°	−1.2°~±0.5°
엑센트 RB 1.4, 1.6	−0.5°~±0.5°	−1.5°~±0.5°	프라이드 1.4	−0.5°~±0.5°	−1.5°~±0.5°

② 캠버 각 수정

1. 맥퍼슨 타입

일반적으로 맥퍼슨 타입의 현가장치는 규정 캠버로 조립되었기 때문에 조정이 필요 없다. 그러나 일부 차량에서는 마운팅 블록을 돌려서 장착하여 조정하도록 하였으며 현장에서는 캠버 볼트라는 것을 제작하여 조정하고 있기도 하다.

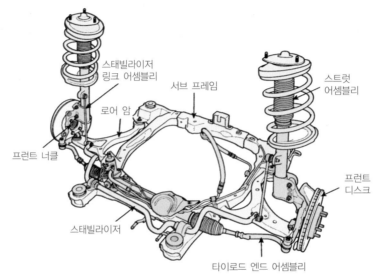

스태빌라이저 링크 어셈블리
서브 프레임
스트럿 어셈블리
로어 암
프런트 너클
프런트 디스크
스태빌라이저
타이로드 엔드 어셈블리

❖ 맥퍼슨 타입 현가장치

① **크레도스의 캠버 캐스터 조정**

㉮ 차량의 앞쪽을 들어 올린다음 안전 스탠드로 지지한다.

㉯ 마운팅 블록 너트를 분리한다.

㉰ 마운팅 블록을 아래쪽으로 밀어내고 원하는 위치로 돌린다.

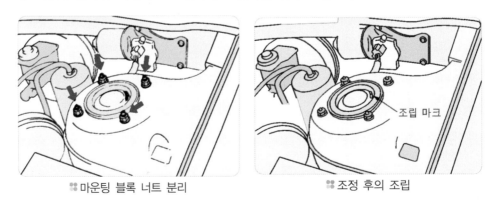

조립 마크

❖ 마운팅 블록 너트 분리   ❖ 조정 후의 조립

216

2. 더블 위시본 타입

어퍼 암에 쉼을 넣거나 빼서, 캠버 조정 볼트를 회전시켜서 캠버를 조정한다.

① **테라칸** : 캠버 조정용 심을 넣거나 빼서 조정한다.

> **TIP** •• 조정 심의 두께는 4mm 이하로 조정한다. 조정 심의 최대 3장 이하로 조정한다.

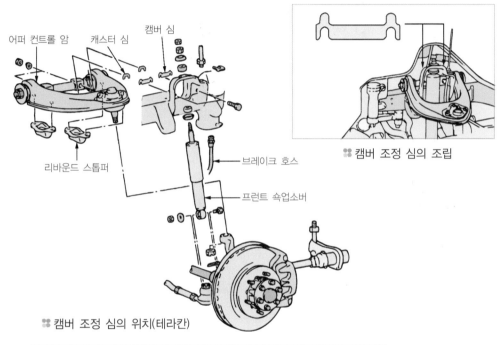

❖ 캠버 조정 심의 조립

❖ 캠버 조정 심의 위치(테라칸)

품 번	쉼 두께(mm)
MB176288A	1.0
MB176289A	2.0

② **스타렉스(토션바 스프링식)** : 캠버값이 규정값에 벗어나면 로어 암 볼트를 회전시켜 조정한다. 시계방향으로 로어 암 볼트를 돌리면 증대하고 시계 반대 방향으로 돌리면 감소한다. 1눈금당 15′변한다.

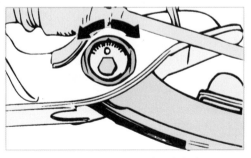

❖ 캠버, 캐스터 조정볼트(스타렉스)

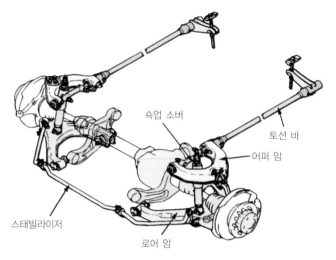

:: 캠버, 캐스터 조정 볼트의 위치(스타렉스)

알아두기

★ 캠버 캐스터 조정법

　캠버, 캐스터의 표준값에 대한 측정값의 차이를 산출하면, 표에 맞추어 어저스팅 캠의 이동량을 구한다. 예를 들어 규정값 보다 캠버가 30'많고 캐스터가 15'적은 경우 프런트 측 어저스팅 캠을 1.5눈금을 A방향으로 이동하고 리어측 어저스팅 캠을 2눈금을 A방향으로 이동한다.

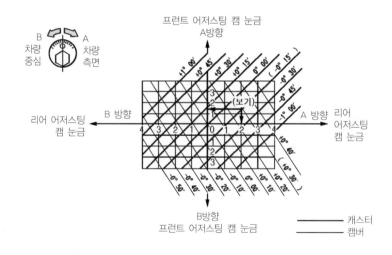

③ 실제 차량에서의 측정 방법

① 바퀴를 직진 상태에 있도록 하고 턴테이블의 고정 핀을 제거한 다음 각도판의 지침을 0점에 맞춘다.

② 바퀴의 그리스 캡을 떼어내고 휠 허브를 깨끗이 닦는다.

③ 휠 허브의 접촉면이 손상되어 있지 않는가 점검한다.

④ 게이지의 보호판을 떼어내고 포터블 게이지의 센터 핀(셀프 센터링 플런저)을 스핀들의 중심과 일치시켜 휠 허브에 충격이 없도록 접촉시킨다.

⑤ 수평의 기포를 중앙의 라인 내에 위치하도록 좌우로 조정하여 게이지가 수평이 되도록 한다.

⑥ 캠버의 기포 중앙의 눈금을 읽는다.

:: 시뮬레이터에서 캠버각 측정 사진

:: 캠버 각 측정 현장 사진

---

02 캐스터 각 점검

① 캐스터각 점검 방법

1. 캐스터의 정의

① 앞바퀴를 옆에서 보았을 때 킹핀의 중심선이 수선에 대해 어떤 각도를 이룬 것.

② **정의 캐스터** : 킹핀의 상단부가 뒤쪽으로 기울은 상태.

③ **부의 캐스터** : 킹핀의 상단부가 앞쪽으로 기울은 상태.

④ **0 의 캐스터** : 킹핀의 상단부가 어느 쪽으로도 기울어지지 않은 상태.

2. 캐스터의 필요성

① 주행 중 바퀴에 방향성(직진성)을 준다.

② 조향하였을 때 직진방향으로 되돌아오는 복원력이 발생된다.

③ 캐스터의 효과는 정의 캐스터에서만 얻을 수 있다.

④ 도로의 저항은 킹핀의 중심선보다 뒤쪽에 작용한다.

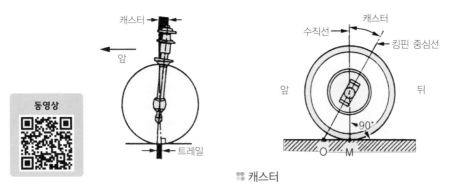

❖ 캐스터

3. 캐스터(caster) 측정방법

① 바퀴를 직진상태에 있도록 하고 턴테이블의 고정 핀을 제거한 다음 각도판의 지침을 0점에 맞춘다.

② 바퀴의 그리스 캡을 떼어내고 휠 허브를 깨끗이 닦는다.

③ 휠 허브의 접촉면이 손상되어 있지 않는가 점검한다.

④ 게이지 보호판을 떼어내고 포터블 게이지의 센터 핀(셀프 센터링 플런저)을 스핀들의 중심과 일치시켜 휠 허브에 충격이 없도록 접촉시킨다.

⑤ 턴테이블의 지침을 0점에 일치시킨 다음 턴테이블의 각도를 보면서 바퀴의 앞부분을 바깥쪽으로 20°회전시킨 후 게이지를 좌우로 움직여 수평기포를 중심에 오도록 조정한 다음 캐스터 게이지의 0점을 조정한다.

❖ 턴테이블 각도판 0° 맞춤

❖ 캠버 캐스터 게이지 설치

⑥ 바퀴의 앞부분을 안쪽으로 회전시켜 각도판의 0점을 지나 안쪽으로 20° 회전(바깥쪽 20°→ 0° → 안쪽 20°)시킨 후 게이지의 수평 기포를 중심에 오도록 조정한다.
→ 총 40° 회전시킨다.

:: 밖으로 20° 회전

:: 안으로 20° 회전

⑦ 캐스터 기포 중앙의 눈금을 읽는다.

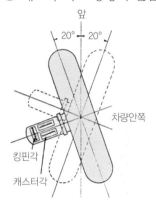

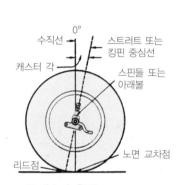

:: 캐스터 측정

4. 차종별 캐스터 규정값

차종	캐스터	차종	캐스터
I30 PD 1.6	4.5°∼±0.5°	K3 BD 1.6	4.5°∼±0.5°
I30 PD 1.4	4.5°∼±0.5°	K3 YD 1.6	4.13°±0.6°
I40 VF 1.7	4.1°∼±0.5°	K5 JF 1.6	4.68°±0.5°
I40 VF 2.0	4.1°∼±0.5°	K5 JF 2.0	4.68°±0.5°
벨로스터 JS 1.4	4.5°∼±0.5°	K7 YG 2.5	4.75°±0.5°
벨로스터 JS 1.6	4.5°∼±0.5°	K7 YG 3.0	4.75°±0.5°
싼타페 TM 2.0	4.38°∼±0.5°	레이 TAM 1.0	3.71°±0.5°
싼타페 TM 2.2	4.38°∼±0.5°	모닝 TA 1.0	3.6°±0.5°
쏘나타 YF 2.0	4.44°∼±0.5°	모하비 HM 3.0	3.80°±0.5°
쏘나타 LF 2.0	4.68°∼±0.5°	스포티지 QL 1.6	4.71°±0.6°
쏘나타 LF 1.7	4.68°∼±0.5°	스포티지 QL 2.0	4.71°±0.6°
쏘나타 LF 1.6	4.68°∼±0.5°	쏘울 PS 1.6	5.1°±0.6°
아반떼 MD	4.03°∼±0.5°	쏘울 SK3 1.6	4.29°±0.5°
엑센트 RB 1.6	4.14°∼±0.5°	프라이드 1.4	4.1°±0.5°
엑센트 RB 1.4	4.09°∼±0.5°		

2 캐스터각의 조정 방법

① 캠버와 같이 현재 맥퍼슨 차량들은 조정할 수 없는 구조로 되어 있다.

> **TIP** •• 스트럿 바가 있는 경우는 스트럿 바로 조정한다.

② 심으로 조정하는 형식

㉮ 이너 샤프트의 너트를 조금 풀고 그림에
서 심을 A에서 빼내어 B에 넣거나 B에
서 빼내어 A에 넣는다.

㉯ B(앞)에서 빼내어 A(뒤)에 넣는다. :
+(정)의 캐스터가 된다.

㉰ A(뒤)에서 빼내어 B(앞)에 넣는다. :
−(부)의 캐스터가 된다.

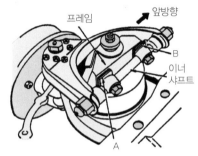

❖Shim 조정 형식

③ 스트럿 바로 조정하는 형식

㉮ 스트럿 바는 앞쪽 또는 뒤쪽으로 로어 암과 크로스 멤버 사이에 설치되어 있다.

㉯ 크로스 멤버 쪽의 이중 너트를 풀고 길이를 가감하여 캐스터를 조정한다.

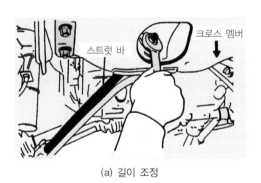

(a) 길이 조정

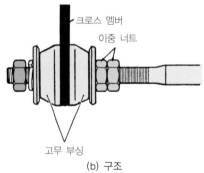

(b) 구조

❖Strut bar 형식

㉰ 앞쪽으로 스트럿 바가 설치된 경우

㉠ 스트럿 바의 길이를 짧게 하면 :
+(정)의 캐스터가 된다.

㉡ 스트럿 바의 길이를 길게 하면 :
−(부)의 캐스터가 된다.

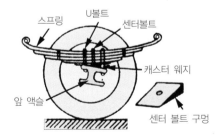

❖Caster wage에 의한 조정방식

④ **캐스터 웨지에 의한 조정(일체식)** : 일체식 차축의 캐스터 조정은 차축과 판 스프링 사이에 캐스터 웨지를 끼워 넣어 조정한다.

⑦ 웨지를 뒤쪽에 끼우면 : +(정)의 캐스터가 된다.

④ 웨지를 앞쪽에 끼우면 : -(부)의 캐스터가 된다.

03 토 점검

① 토인(Toe in) 점검 방법

1. 토인의 정의

앞바퀴를 위에서 보면 좌우 타이어 중심 간의 거리가 앞부분이 뒷부분보다 2~6mm 정도 좁게 되어 있는 상태를 말한다.

2. 토인의 필요성

① 앞바퀴의 사이드 슬립과 타이어의 마멸을 방지한다.

② 캠버에 의해 토 아웃됨을 방지하며, 바퀴를 평행 회전시킨다.

③ 조향 링키지 마멸에 의한 토 아웃을 방지한다.

3. 토인 측정 전 준비사항

① 차량을 공차상태로 한다.

② 타이어의 공기압력을 규정으로 맞춘 후 트레드부의 마모가 심한 것은 교환한다.

③ 휠 베어링의 헐거움, 볼 조인트의 마모, 타이로드 엔드의 헐거움을 점검한다.

토인	토아웃	제로토
(포지티브 토)	(네거티브 토)	(토 제로)

4. 토인 측정 방법

① 턴테이블을 사용하지 않는 수평인 장소에서 한다.

② 타이어 중심선에 분필을 이용하여 라인을 긋고 스크라이버를 이용하여 가는 선을 분필 라인의 중심에 긋는다.

③ 토인 게이지의 침봉을 허브 중심과 같게 고정한다.

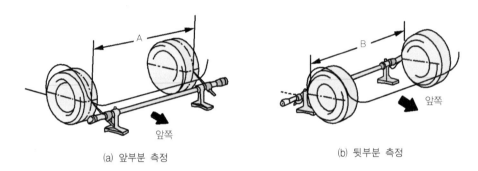

(a) 앞부분 측정

(b) 뒷부분 측정

✂ 토인 측정 방법

④ 토인 게이지를 0점에 맞춘 후 바의 길이를 조정하여 침봉이 타이어 중심선에 맞도록 타이어 뒤쪽에 먼저 설치한 후 토인 게이지를 앞쪽으로 이동한다.

⑤ 침봉을 타이어 중심선에 먼저 맞춘 후 게이지의 마이크로미터를 회전시켜 침봉이 타이어 중심선에 오도록 이동시킨 후 눈금을 판독한다.

㉮ 슬리브에 보이는 짝수 눈금을 읽고 그 값에 딤블의 눈금을 읽는다.

㉯ 좁아졌으면 토인(toe-in), 넓어졌으면 토 아웃(toe-out)이다.

㉰ 토인 조정은 타이로드의 길이를 가감하여 조정한다.

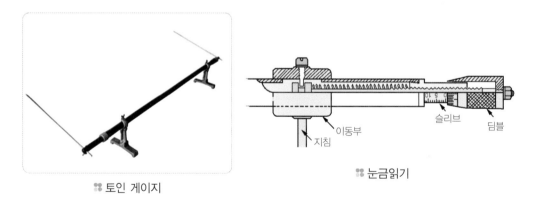

✂ 토인 게이지

✂ 눈금읽기

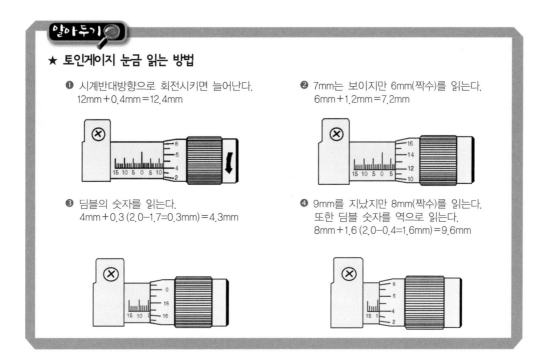

★ 토인게이지 눈금 읽는 방법

❶ 시계반대방향으로 회전시키면 늘어난다.
12mm+0.4mm=12.4mm

❷ 7mm는 보이지만 6mm(짝수)를 읽는다.
6mm+1.2mm=7.2mm

❸ 딤블의 숫자를 읽는다.
4mm+0.3 (2.0−1.7=0.3mm)=4.3mm

❹ 9mm를 지났지만 8mm(짝수)를 읽는다.
또한 딤블 숫자를 역으로 읽는다.
8mm+1.6 (2.0−0.4=1.6mm)=9.6mm

5. 차종별 토인 규정값

차종		토		차종		토	
		앞	뒤			앞	뒤
I30 PD 1.6	토탈	0.1°±0.2°	0.2°±0.2°	K3 BD 1.6	토탈	0.1°±0.2°	0.30°±0.3°
	개별	0.05°±0.1°	0.1°±0.1°	K3 BD 1.6	개별	0.05°±0.1°	0.15°±0.15°
I30 PD 1.4	토탈	0.1°±0.2°	0.2°±0.2°	K3 YD 1.6 토탈		0.1°±0.3°	0.4°(+0.6°−0.5°)
	개별	0.05°±0.1°	0.1°±0.1°	K5 JF 1.6 토탈		0.12°±0.2°	0.17°±0.5°
I40 VF 1.7	토탈	0°±0.2°	0.2°±0.2°	K5 JF 2.0 토탈		0.12°±0.2°	0.17°±0.2°
	개별	0°±0.1°	0.1°±0.1°	K7 YG 2.5	토탈	0.12°±0.2°	0.17°±0.2°
I40 VF 2.0	토탈	0°±0.2°	0.2°±0.2°		개별	0.06°±0.1°	0.085°±0.1°
	개별	0°±0.1°	0.1°±0.1°	K7 YG 3.0	토탈	0.12°±0.2°	0.17°±0.2°
벨로스터 JS 1.4	토탈	0.1°±0.2°	0.14°±0.2°		개별	0.06°±0.1°	0.085°±0.1°
	개별	0.05°±0.1°	0.07°±0.1°	레이 TAM 1.0	토탈	0°±0.2°	L−R≤0.23°
벨로스터 JS 1.6	토탈	0.1°±0.2°	0.14°±0.2°		개별	0°±0.1°	0.15° (+0.2° −0.15°)
	개별	0.05°±0.1°	0.07°±0.1°	모닝 TA 1.0	토탈	0.2°±0.2°	L−R≤0.23°
싼타페 TM 2.0	토탈	0.1°±0.2°	0.2°±0.2°		개별	0.1°±0.1°	0.25° (+0.2° −0.15°)
	개별	0.05°±0.1°	0.1°±0.1°	모하비 HM 3.0 토탈		0°±0.3°	0.15°±0.3°

차종		토		차종		토	
		앞	뒤			앞	뒤
싼타페 TM 2.2	토탈	0.1°±0.2°	0.2°±0.2°	스포티지 QL 1.6 토탈		0.1°±0.3°	0.2°±0.3°
	개별	0.05°±0.1°	0.1°±0.1°	스포티지 QL 2.0 토탈		0.1°±0.3°	0.2°±0.3°
쏘나타 YF 2.0	토탈	0.16°±0.2°	0.17°±0.2°	쏘울 PS 1.6 토탈		0.1°±0.3°	0.3°(+0.6° −0.4°)
	개별	0.08°±0.1°	0.085°±0.1°	쏘울 SK3 1.6	토탈	0.12°±0.2°	0.3°±0.3°
쏘나타 LF 2.0	토탈	0.12°±0.2°	0.17°±0.2°		개별	0.06°±0.1°	0.5°±0.15°
	개별	0.06°±0.1°	0.085°±0.1°	프라이드 1.4	토탈	0.2°±0.2°	0.5°(+0.4° −0.5°)
쏘나타 LF 1.7	토탈	0.12°±0.2°	0.17°±0.2°		개별	0.1°±0.1°	0.25° (+0.20° −0.25°)
	개별	0.06°±0.1°	0.085°±0.1°				
쏘나타 LF 1.7	토탈	0.12°±0.2°	0.17°±0.2°	아반떼 MD	토탈	0.1°±0.2°	0.4°(+0.5°−0.4°)
	개별	0.06°±0.1°	0.085°±0.1°		개별	0.05°±0.1°	0.2°(+0.25°−0.2°)
엑센트 RB 1.6	토탈	0.1°±0.2°	0.4° (+0.5°−0.4°)	엑센트 RB 1.4	토탈	0.1°±0.2°	0.4° (+0.5°−0.4°)
	개별	0.05°±0.1°	0.2° (+0.25°−0.2°)		개별	0.05°±0.1°	0.2° (+0.25°−0.2°)

❷ 토인 조정 방법

부정확한 토우는 타이어의 편마모를 가져오게 되며, 직진 주행 시 핸들의 위치가 똑바로 서지 못하게 된다.

① 토인의 조정은 타이로드 또는 타이로드 엔드의 고정 너트를 풀고 타이로드 또는 타이로드 엔드를 회전시켜 길이를 늘이고 줄여서 조정한다.

② 뒤쪽으로 타이로드가 있는 경우에는 다음과 같이 변한다.
　㉮ 타이로드 길이를 늘일 때 : 토 인으로 된다.
　㉯ 타이로드 길이를 줄일 때 : 토 아웃으로 된다.

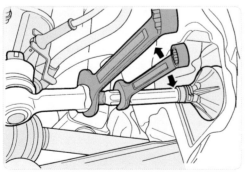

❖ 앞 토인 조정

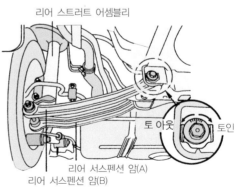

리어 스트러트 어셈블리

토 아웃　토인

리어 서스펜션 암(A)
리어 서스펜션 암(B)

❖ 뒤 토인 조정

04 휠 얼라인먼트 테스터의 점검

1 헤스본 휠 얼라인먼트를 사용한 측정 방법

동영상

1. 구조 및 측정

(1) 헤스본(HA-700) 휠 얼라인먼트의 구조

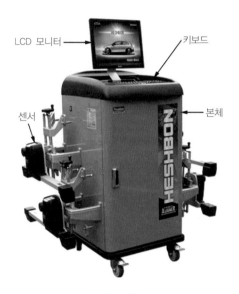

LCD 모니터, 키보드, 센서, 본체

⁘ 본체 외형도

⁘ 센서 헤드

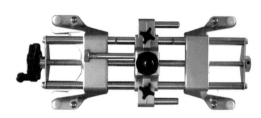

⁘ 센서 클램프

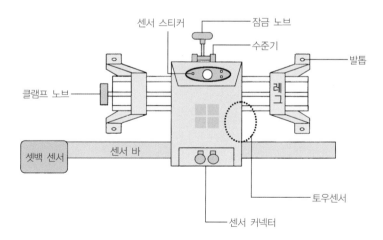

센서 스티커, 잠금 노브, 수준기, 발톱, 클램프 노브, 레그, 셋백 센서, 센서 바, 토우센서, 센서 커넥터

⁘ 센서 외형도

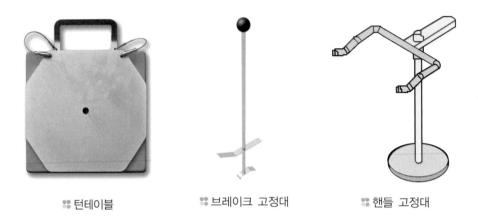

턴테이블 브레이크 고정대 핸들 고정대

(2) 측정 차량의 준비

① 휠 얼라인먼트 전용 리프트 위로 자동차를 운전하여 정차시킨다. 리프트에 정차시킨 차량의 바퀴에 고임목을 설치하여 차량이 구르지 않도록 한다.

② 차량을 작업 높이만큼 수평이 되도록 올린 후 리프트에서 잠금 위치로 설정한다. 리프트가 잠금 위치에서는 반드시 좌우앞뒤가 수평 상태임을 전제로 한다. 만약 수평 상태가 아닐 경우에는 측정값의 오차가 발생하므로 리프트 수평의 0점을 주기적으로 점검하여야 한다.

③ 측정할 차량의 모든 부품들이 제작 회사 제원과 정확히 일치하는지 확인한다.

④ 타이어의 공기 압력을 점검하고 베어링 및 볼 이음의 유격을 점검한다.

⑤ 차량의 바퀴를 육안으로 보면서 직진으로 맞추고 차량의 토우 조정용 볼트를 점검한다.

⑥ 바퀴의 직진 상태와 조향 핸들의 위치가 육안으로 구분될 정도로 벗어나 있으면 조향 핸들을 다시 조정한다.

⑦ 모든 점검이 완료되면 바퀴가 직진이 되도록 한다.

⑧ 앞바퀴 아래에는 턴테이블(turn table)을, 뒷바퀴 아래에는 슬립 판(slip plate)을 놓고 방향을 잘 맞춘 후 핀을 제거한다.

주의사항

① 기기를 비나 물기로부터 직접적으로 노출되는 곳에서 작업을 하지 않는다.
② 화기가 있는 곳에서는 절대로 작업을 하지 않는다.
③ 젖은 손으로 전원 코드를 만지지 않는다.
④ 손상된 전원 플러그나 헐거운 콘센트를 사용하지 않는다.

⑤ 조작방법을 숙지한 사람 이외에는 사용을 금지한다.
⑥ 안전을 위하여 반드시 평탄한 곳에서 작업을 한다.
⑦ 기기를 비나 물기로부터 노출되는 곳에 설치하지 않는다.
⑧ 코드부분을 무리하게 당겨서 뽑지 않는다.
⑨ 센서 탈 부착시 충격을 주거나 무리하게 힘을 가하지 않는다.
⑩ 한 개의 콘센트에 여러 전기 제품을 동시에 꽂아 사용하지 않는다.
⑪ 전원 플러그와 콘센트와의 접촉부위 청결 상태를 유지하여 준다.
⑫ 측정기를 직사광선에 직접적으로 노출시키지 않는다.
⑬ 측정기의 동작 중에는 부적절한 버튼을 조작하지 않는다.
⑭ 컴퓨터 사양을 임의로 변경하거나 목적 외의 프로그램을 설치하지 않는다.
⑮ 제품의 컨트롤부 및 구조를 임의대로 개조하지 않는다.
⑯ 반드시 실내에 설치하고 부득이 옥외에 설치할 경우 천막 등으로 비나 눈에 맞지 않도록 한다.

(3) 측정 방법

① 장비의 전원을 켜고 컴퓨터 전원과 모니터 전원을 켜면 초기화면이 열린다.
② 센서를 설치한다.

- 차량의 림에 센서를 정 위치에 단단히 부착하고 클램프의 노부가 수직을 향하도록 한 다음 고정한다. 이때 센서의 떨어짐에 대비하여 설치한 센서에 보호 밴드를 사용하도록 한다.
- 센서를 모두 부착하면 본체와 센서 사이의 센서 케이블을 연결한다. 이때 전원이 인가된 상태에서 센서 케이블을 연결하거나 분리하면 시험기에 치명적인 손상을 입힐 수 있으므로 주의한다.
- 4개의 센서 모두를 수평으로 한다. 이때 센서 잠근 노브를 살짝 풀어주면 런 아웃 작업을 할 때 편리하지만 주의가 요망된다.

🟦 전륜 헤드 설치

🟦 후륜 헤드 설치

③ **초기화면**

- **F1** : 작업을 시작함
- **F2** : 작업을 종료하고 PC의 전원을 OFF함
  (**F2**를 누르면 PC가 꺼지기 때문에 유의한다.)

④ **작업 화면**

- **F1** : 작업을 시작함
- **F2** : 현재까지 작업된 데이터를 검색함
- **F3** : 환경 설정 화면으로 이동함
- **F4** : 초기 화면으로 이동함

✲ 초기 화면

✲ 작업 화면

⑤ **차량 선택 화면**

- 제조회사와 모델을 선택한다.
- **F2** : 제원 확인
- **F3** : 고객 자료 검색

✲ 차량 선택 화면

230

⑥ 런 아웃 보정

- 잭 리프트를 상승시켜서 휠을 180° 돌려 서 센서의 OK버튼을 누른다.
- 180° 런아웃이 완료되었을 때, 적색 화살 표가 녹색으로 변환되며, 360° 런아웃이 완료되면, 해당 휠이 전부 녹색으로 바뀐 다.

❖ 런 아웃 보정

❖ ROC 맞추기 위한 통신 상태와 완료된 상태

알아두기

★ 에러화면

① **수평 불량** : 직진 조향에서 아래와 같은 에러 화면이 나타나 면, 이것은 센서의 수평이 맞지 않은 것이므로 해당 센서의 수평을 맞추어 준다.

② **빛 가림 에러** : 위에 에러가 나오면 해당 센서의 빛이 가려진 상황이다. 만약 장애물이 없는데도 위의 에러 메시지가 뜨면, 폭이 기준보다 긴 차량에 센서를 장착 할 경우다. 이때는 2~3 초간 기다리면 광량을 증가시켜 메시지가 제거 된다.

③ **통신 에러** : 아래에 에러가 나오면 센서와 PC간의 통신에 문제 가 있는 상황이다. 해당 센서의 전원 케이블 연결을 확인한다.

수평 불량

빛 가림 에러

통신 에러

⑦ 캐스터 스윙 준비 작업

• 캐스터 스윙을 하기 위해서는 설명과 같이 작업을 진행한 후 다음 (**F6**)을 누른다.

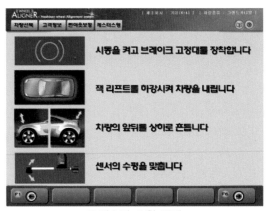

❖ 캐스터 스윙 준비

⑧ 캐스터 스윙 –직진조향

• 휠을 그림과 같은 상태로 직진조향을 진행한다.

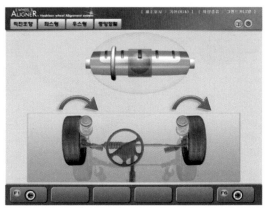

❖ 캐스터 스윙

⑨ 측정 결과

• 캐스터 스윙이 끝나면, 측정결과 화면이 나타난다.
• **F2** : 후륜 조정
• **F3** : 전륜 조정
• **F4** : 캐스터 재측정

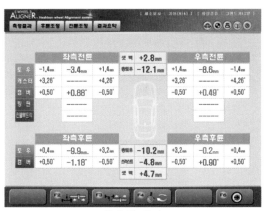

❖ 측정 결과

232

⑩ **후륜 조정**

- 후륜 조정 화면
- **F2** : 전륜 조정
- **F3** : 후륜 토우 조정
- **F4** : 후륜 토우 확대
- **F5** : 올림 조정

⑪ **전륜 조정 준비**

- 전륜 조정을 준비한다.
- 지시된 내용과 같이하고, 다음 **F6**
  을 누른다.

⑫ **전륜 조정**

- 전륜을 조정한다.
- **F2** : 전륜 토우 조정
- **F3** : 전륜 캠버 조정
- **F4** : 캐스터 조정
- **F5** : 캐스터 재측정

후륜 조정

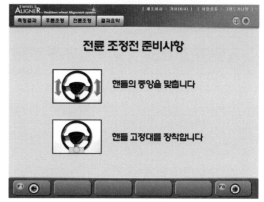

전륜 조정 준비

⑬ **결과 요약**

- 조정결과를 보고, 작업 데이터를 저장, 출력한다.
- **F4** : 조정결과를 인쇄.
- **F5** : 작업 데이터를 저장하고 종료.
- **F6** : 작업 데이터를 저장하지 않고 종료.

전륜 조정

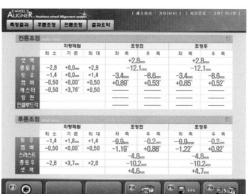

결과 요약

2. 휠 얼라인먼트 증상과 원인

비정상적인 타이어 마모
- 토우 불량
- 캠버 불량
- 타이어 패턴 특성
- 공기압 부적절
- 휠 밸런스 불량 심함
- 바퀴의 유격
- 고속 코너링 & 운행 성향
- 회전시 도우 아웃 불량

주행중 쏠림
- 공기압 차이
- 좌우 캠버 차이
- 좌우 캐스터 차이
- 타이어 코시니티
- 파워 스티어링 시스템 불량 (조향기어)
- 한쪽 브레이크 잡혀 있음

복원력 불량
- 심한 토우 불량
- 캐스터 부족
- 너클의 뒤틀림
- 상하 볼의 고착
- 조향기어 휨 및 조정불량
- 핸들 조인트 고착
- 베벨기어 다이 휨 및 조정불량
- 핸들 샤프트 휨 & 내려 앉음

핸들 불안정 방향 틀림
- 앞 뒤 토우 심함
- 캐스터 부족
- 핸들 복원력 부족
- 현가 및 조향장치 유격, 흔들림, 고정 불량
- 조향기어 수평도 어긋남
- 뒷바퀴 좌우 공기압 차이
- 뒷바퀴 좌우 타이어 사이즈 틀림
- 뒤 너클의 뒤틀림
- 타이어 마모 과다 및 불량

핸들 센터가 맞지 않음
- 바퀴에의 충격
- 조향, 현가장치 마모 및 유격
- 조향기어 고정 느슨함
- 휠 얼라인먼트 작업 불량
- 타이어 문제

핸들이 가볍다
- 공기압 과다
- 캠버 과대
- 캐스터 과소
- 핸들 유격 많음
- 심한 토우 불량

핸들이 무겁다	핸들 떨림	차체 떨림
공기압 부족	앞바퀴 밸런스 불량	뒷바퀴 밸런스 과다
타이어 광폭 및 마모 심함	앞바퀴 휨 불량	뒷바퀴 휨 불량
마이너스 휠	심한 타이어 밀도 불균일	뒷타이어 심한 마모, 불량
마이너스 캠버	휠, 타이어 런아웃 과다	뒤 휠, 타이어 런아웃 과다
과도한 캐스터	타이어 내부 이물질 혼입	뒷 타이어 내부 이물질 혼입
파워 오일 부족, 에어 혼입 벨트 느슨함	허브 직각도 불량	드라이브샤프트 상하 유격 과다(가속시)
상, 하 볼의 고착	드라이브 샤프트 상하 유격 과다	드라이브샤프트 좌우 유격 없음(가속시)
조향기어 휨 및 유격 조정불량	드라이브 샤프트 좌우 유격 없다	프로펠러 샤프트 불량
핸들 조인트 불량	조향장치 유격 과다	트랜스미션 미미 손상
베빌기어 다이 휨 및 조정 불량	공기압 부족(저속시 떨림)	브레이크 드럼 불량(제동시)
핸들 샤프트 휨 및 내려앉음	브레이크 디스크 불량 (제동시 떨림)	

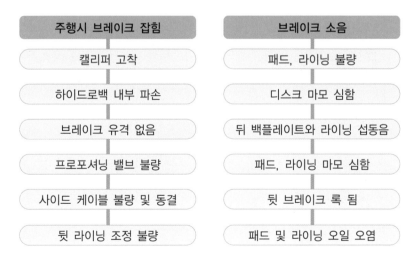

주행시 브레이크 잡힘	브레이크 소음
캘리퍼 고착	패드, 라이닝 불량
하이드로백 내부 파손	디스크 마모 심함
브레이크 유격 없음	뒤 백플레이트와 라이닝 섭동음
프로포셔닝 밸브 불량	패드, 라이닝 마모 심함
사이드 케이블 불량 및 동결	뒷 브레이크 록 됨
뒷 라이닝 조정 불량	패드 및 라이닝 오일 오염

제동시 떨림	브레이크 페달 깊음	브레이크 페달 딱딱함
좌우 제동력 차이	디스크 심한 마모	올터네이터 진공 부족
디스크, 드럼 마모 심함	디스크와 패드 밀착 불량	진공 호스 에어 누설
디스크와 패드 밀착 불량	드럼과 라이닝 밀착 불량	하이드로 백 불량
좌우 브레이크 패드 틀림 및 뒷 라이닝 불량	브레이크 라인 에어 혼입	브레이크 유격 없음
뒷 라이닝, 드럼 오일 흡착	캘리퍼 작동 불량(슬라이딩 볼트 고착 및 휨)	
한쪽 캘리퍼 작동 불량	마스터 실린더 불량	
휠 얼라인먼트 불량 (쏠림 유발시)	브레이크 액 누유	
현가장치 마모 및 느슨함, 유격	브레이크 열 발생 스펀지 현상	
크로스 멤버의 균열		

② 메카시스 휠 얼라인먼트를 사용한 측정 방법

1. 메카시스 휠 얼라인먼트의 구조

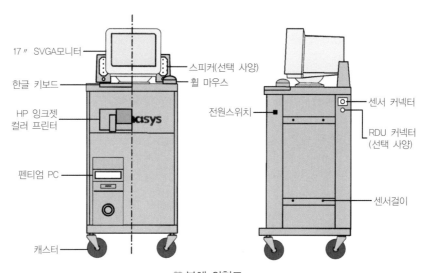

17″ SVGA모니터
스피커(선택 사양)
한글 키보드
휠 마우스
HP 잉크젯 컬러 프린터
전원스위치
센서 커넥터
RDU 커넥터 (선택 사양)
펜티엄 PC
센서걸이
캐스터

❖ 본체 외형도

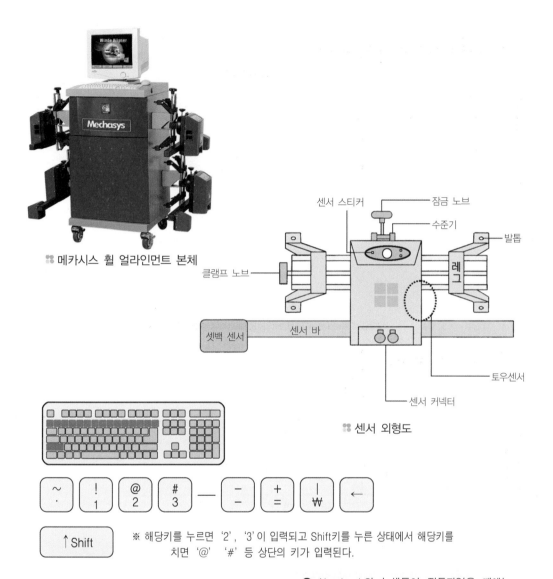

:: 메카시스 휠 얼라인먼트 본체

센서 스티커   잠금 노브
수준기
발톱
레그
클램프 노브

셋백 센서   센서 바

토우센서
센서 커넥터

:: 센서 외형도

~
·
!
1
@
2
#
3
―
−
−
+
=
|
₩
←

↑Shift

※ 해당키를 누르면 '2', '3'이 입력되고 Shift키를 누른 상태에서 해당키를
치면 '@' '#' 등 상단의 키가 입력된다.

Num Lock

Caps Lock

한/영

:: 센서 외형도

❶ NumLock의 녹색등이 점등되었을 때에는 숫자키로 동작(Num Lock동작)되고 꺼져 있다면 방향키(NumLock미동작)로 동작한다.(기본적으로 Num Lock동작 상태이다. 만약 NumLock등이 꺼져 있다면 바로 밑의 NumLock키를 누르면 된다.)
❷ CapLock의 녹색등이 점등되었을 때에는 영문대문자로 동작되고 꺼져 있다면 영문소문자로 동작한다.
❸ '한/영' 키를 누를 때마다 영문/한글 입력으로 전환된다.
❹ 'Alt+X'는 Alt키를 누른상태에서 X키를 누르는 것을 의미한다. 본 장비에서 'Enter키'는 다음 작업화면 'Esc키'는 이전화면으로 정의하였다.

237

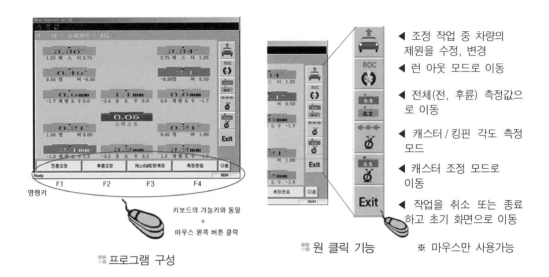

◀ 조정 작업 중 차량의
  제원을 수정, 변경

◀ 런 아웃 모드로 이동

◀ 전체(전, 후륜) 측정값으
  로 이동

◀ 캐스터 / 킹핀 각도 측정
  모드

◀ 캐스터 조정 모드로
  이동

◀ 작업을 취소 또는 종료
  하고 초기 화면으로 이동

명령키

키보드의 기능키와 동일
+
마우스 왼쪽 버튼 클릭

❖ 프로그램 구성

❖ 원 클릭 기능 　　※ 마우스만 사용가능

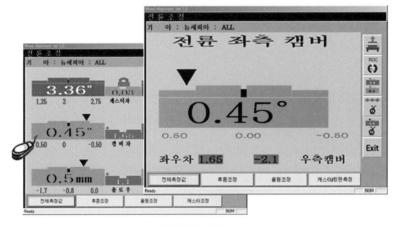

전륜/후륜 조정 화면
에서 해당 데이터의
데이터 바를 마우스
로 클릭하면 확대 데
이터 바가 표출된다.

❖ 돋보기 기능

2. 측정 차량의 준비

① 휠 얼라인먼트 전용 리프트 위로 자동차를 운전하여 정차시킨다. 리프트에 정차시킨
　차량의 바퀴에 고임목을 설치하여 차량이 구르지 않도록 한다.

② 차량을 작업 높이만큼 수평이 되도록 올린 후 리프트에서 잠금 위치로 설정한다. 리프
　트가 잠금 위치에서는 반드시 좌우·앞뒤가 수평 상태임을 전제로 한다.

　만약 수평 상태가 아닐 경우에는 측정값의 오차가 발생하므로 리프트 수평의 0점을 주
　기적으로 점검하여야 한다.

③ 측정할 차량의 모든 부품들이 제작 회사 제원과 정확히 일치하는지 확인한다.

④ 타이어의 공기 압력을 점검하고 베어링 및 볼 이음의 유격을 점검한다.

⑤ 차량의 바퀴를 육안으로 보면서 직진으로 맞추고 차량의 토우 조정용 볼트를 점검한다.

⑥ 바퀴의 직진 상태와 조향 핸들의 위치가 육안으로 구분될 정도로 벗어나 있으면 조향 핸들을 다시 조정한다.

⑦ 모든 점검이 완료되면 바퀴가 직진이 되도록 한다.

⑧ 앞바퀴 아래에는 턴테이블(turn table)을, 뒷바퀴 아래에는 슬립 판(slip plate)을 놓고 방향을 잘 맞춘 후 핀을 제거한다.

3. 센서 설치하기

① 차량의 림에 센서를 정 위치에 단단히 부착하고 클램프의 노부가 수직을 향하도록 한 다음 고정한다. 이때 센서의 떨어짐에 대비하여 설치한 센서에 보호 밴드를 사용하도록 한다.

② 센서를 모두 부착하면 본체와 센서 사이의 센서 케이블을 연결한다. 이때 전원이 인가된 상태에서 센서 케이블을 연결하거나 분리하면 시험기에 치명적인 손상을 입힐 수 있으므로 주의한다.

③ 4개의 센서 모두를 수평으로 한다. 이때 센서 잠근 노브를 살짝 풀어주면 런 아웃 작업을 할 때 편리하지만 주의가 요망된다.

④ 휠 얼라인먼트 시험기에 전원을 인가한다.

4. 측정 방법

(1) 시스템 전원

본체의 전원 스위치를 켜고 키보드의 "Wake Up"버튼(또는 PC 전원 버튼)을 누르면 PC시스템이 작동한다.

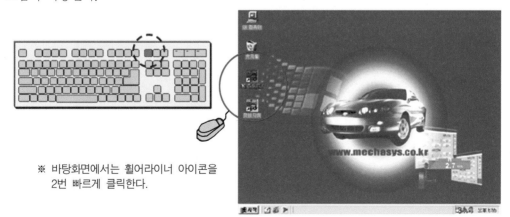

※ 바탕화면에서는 휠어라이너 아이콘을 2번 빠르게 클릭한다.

(2) 초기 화면 (→ 시스템 종료)

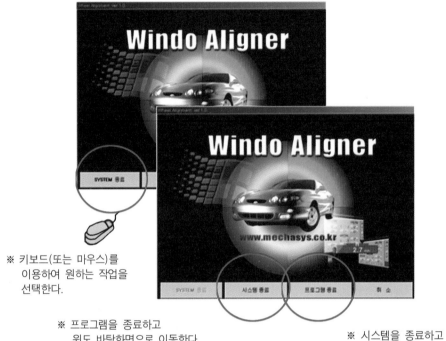

※ 키보드(또는 마우스)를
　　이용하여 원하는 작업을
　　선택한다.

※ 프로그램을 종료하고
　　윈도 바탕화면으로 이동한다.

※ 시스템을 종료하고
　　PC의 전원을 자동으로 끈다.

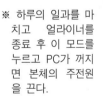

※ 하루의 일과를 마
　　치고　얼라이너를
　　종료 후 이 모드를
　　누르고 PC가 꺼지
　　면 본체의 주전원
　　을 끈다.

※ 바탕화면에서의 시스템 종료
하루의 일과를 마치고 얼라이너를 종료할 때 '시작'
버튼을 클릭하고 '시스템종료'를 클릭하고 본체의 주
전원을 끈다.

(3) 초기화면 (→ 측정 시작)

① **측정 시작** : 시스템의 자기 진단이 정상이면 초기 화면이 나타난다. 여기서 희망하는 작업을 선택한다.

※ 시스템의 자기진단이 정상이면
　초기화면이 나타난다.
　원하는 작업을 선택한다.

② **제작 회사(메이커)선택**

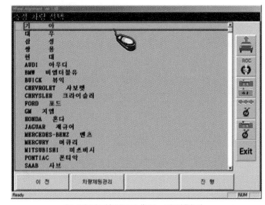

🔀 메이커(제조처)를 선택한다.

③ **모델(차종) 선택**

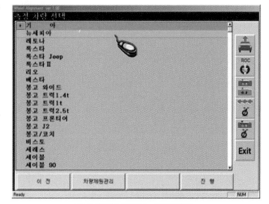

🔀 모델(차종)을 선택한다.

241

④ 고객 정보 입력

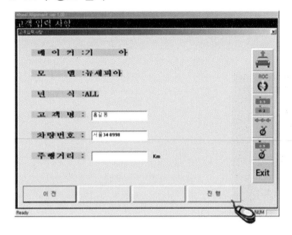

※ 고객명 또는 차량번호를 입력한다.

생략하고 추후에 다시 입력할 수도 있다.

한/영 키를 누르면 한글/영문 입력모드로 전환된다.

영문 입력시 키보드의 Shift키를 누르고 입력하면 대문자로 입력된다.

입력되는 고객성명 및 차량번호는 고객관리프로그램에 등록되므로 정확히 입력해야 한다.

⑤ ROC(Run Out Compensation ; 흔들림 보상) : 차량의 바퀴는 주행할 때 부품들과의 결합 등의 오차로 인하여 어느 정도 상하좌우로 흔들림을 가지고 있으며, 흔들림 정도는 차량에 따라서 다르게 나타난다. ROC는 차량이 지니고 있는 흔들림 오차를 측정하여 보상하고 보다 정확한 휠 얼라인먼트를 측정하기 위함이다.

㉮ ROC 보상 실시 : 전체의 센서가 모두 깜박이면 해당 센서의 전원 및 커넥터의 연결이 올바른지를 확인한다. ROC를 시작할 경우에는 어느 센서를 먼저하든지 관계없으나 2인이 작업할 경우에는 대각선 방향으로하여야 한다. 예를 들어 FL 센서를 ROC할 경우에는 FR센서와 RL센서와 통신을 하므로 FR-RL 센서가 움직이면 ROC

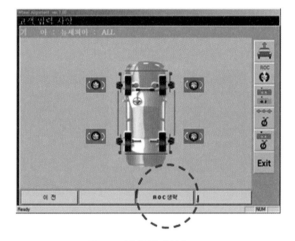

∷ ROC(흔들림 보상)

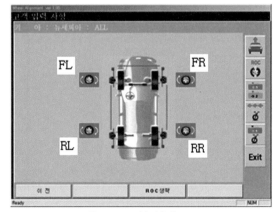

∷ ROC 보상 실시

오차로 나타난다.

그러나 RR 센서와는 관계가 없으므로 동시 작업이 가능하다.

ROC실시 방법은 다음과 같다.

㉠ 모든 센서의 휠 클램프 노브가 위 그리고 수직을 향하도록 한 후 센서를 수평으로 맞추고 센서 잠금 노브를 잠근다.

㉡ 해당 센서 잠금 노브를 풀고 휠 클램프를 180°돌려 수직으로 세운다.

㉢ 센서를 수평으로 맞추고 센서 노브를 잠근다.

㉣ 센서 표판의 버튼을 누르면 오른쪽의 적색 LED가 깜박인다. 이때 LED 1이 점등될 때까지 기다린다.(모니터에서는 해당 센서의 삼각형 화살표가 노란 색으로 변함) 만약, 적색 LED가 깜빡이다가 꺼지면 광로를 확인한 후 현 상태에서 다시 한번 더 누른다.

㉤ 센서 잠금 노브를 풀고 휠 클램프를 다시 180°돌려 수직으로 한다.

㉥ 센서 표판의 버튼을 누르면 오른쪽의 적색 LED가 깜박인다. 이때 LED 2가 점등될 때까지 기다린다.(모니터에 해당 센서의 삼각 화살표가 녹색으로 변함) 만약, 적색 LED가 깜빡이다가 꺼지면 처음부터 다시 실시한다.

㉦ 나머지 센서도 같은 방법으로 실시한다.

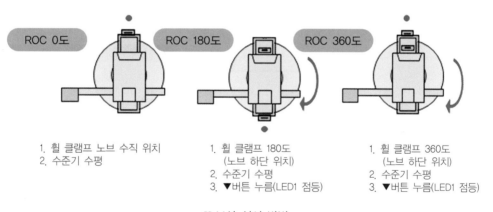

ROC 0도

ROC 180도

ROC 360도

1. 휠 클램프 노브 수직 위치
2. 수준기 수평

1. 휠 클램프 180도
   (노브 하단 위치)
2. 수준기 수평
3. ▼버튼 누름(LED1 점등)

1. 휠 클램프 360도
   (노브 하단 위치)
2. 수준기 수평
3. ▼버튼 누름(LED1 점등)

보상 실시 방법

㉴ ROC 보상 종료 : 모든 바퀴의 ROC가 끝나면 반드시 화면의 지시대로 실시한 후 측정 모드를 선택한다.

㉵ 직진 조향 : 화살표(➜) 표시가 지시하는 쪽으로 조향 핸들을 천천히 돌려 ➜표시가 서로 마주 보고 있으면 직진 상태이다. 이때 조향 막대가 사라질 때까지 조향 핸들을 잡고(약 1초) 있어야 한다.

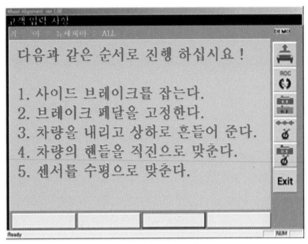

:: ROC 보상 종료

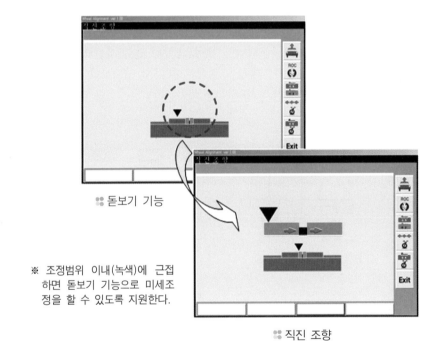

:: 돋보기 기능

※ 조정범위 이내(녹색)에 근접
하면 돋보기 기능으로 미세조
정을 할 수 있도록 지원한다.

:: 직진 조향

(4) 측정값 (캐스터 생략)

녹색 바는 휠 얼라인먼트가 기준 값에 들어있다는 표시이며, 적색 바는 기준 값을 벗어났
음을 표시한다. 그리고 조정이 불가능한 제원은 회색 바로 표시된다. 그리고 측정 과정은 다
음과 같다.

① 필요하면 모든 센서를 수평으로 조정하고 센서 잠금 노브를 고정한다.

② 토우와 캠버의 측정은 현재의 화면에서 측정이 가능하지만 캐스터는 제외된다.

244

③ 현재 캐스터는 미 측정 상태이므로 여기서 캐스터/킹핀 측정 버튼을 선택하면 아래의
진행 과정을 통하여 캐스터/킹핀 데이터를 측정할 수 있다.

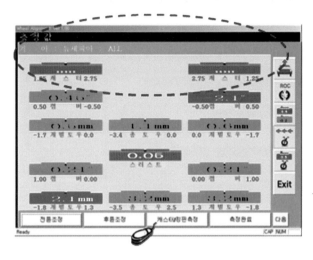

:: 측정값(캐스터 생략)

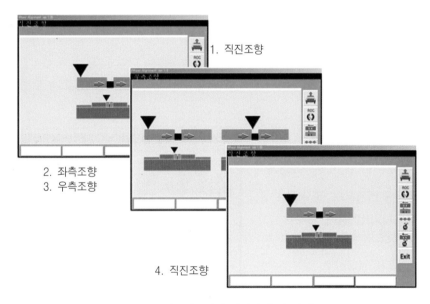

:: 캐스터 / 킹핀 데이터 측정 과정

> **TIP** •• **조향 방법** : 조향 막대가 중앙의 조향 점과 일치하도록 왼쪽으로 조향한 후 조향 막대가 사라
> 질 때까지 조향 핸들을 잡고 있다. 좌우 어느 쪽에 일치하든 순서에 관계는 없으나 왼쪽으
> 로 조향할 때에는 왼쪽이, 오른쪽으로 조향할 때에는 오른쪽이 먼저 일치하는 것이 차량의
> 상태가 정상이라 볼 수 있다. 이 모드는 캐스터/킹핀 각도를 측정한다.

(5) 측정값 (캐스터 측정)

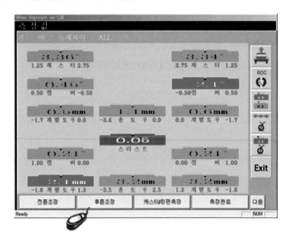

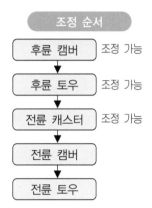

조정 순서

후륜 캠버 → 조정 가능

후륜 토우 → 조정 가능

전륜 캐스터 → 조정 가능

전륜 캠버

전륜 토우

> **TIP** •• 볼 이음, 타이로드의 양끝, 쇽업소버 등의 부품들이 과도하게 마모되면 휠 얼라인먼트가 불가능하다. 휠 얼라인먼트를 시작할 때 각 부분의 마모 및 마모 상태를 반드시 점검하여 교환 또는 수리한 후 점검한다.

(6) 후륜 조정

후륜 조정 화면은 조정 부위에 대한 기준 값과 측정값을 나타낸다. 현재 값이 녹색 바이면 정상이며, 적색 바에 있으면 규격에서 벗어나 있음을 표시하므로 규정값(녹색 바)에 위치하도록 차량을 조정한다.

① **기준값 (최소값 – 중앙값 – 최대값)** : 기준값이 없으면 조정 부위가 없는 차량임을 나타낸다(회색 바탕으로 표시).

② **좌우 차이 값(캠버)** : 좌우 차이 값이 0.5°이하이면 노란색, 0.51°이상이면 적색으로 표시된다. 소형 승용차의 경우 1°이내, 광폭 타이어의 경우 좌우 차이는 0°에 가깝게 조정한다. 캐스터/캠버의 좌우 차이 값이 0.5°이내로 조정되도록 한다.

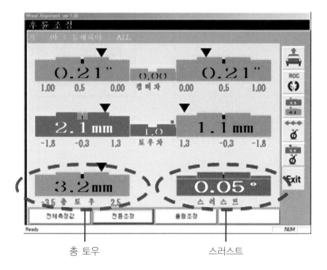

총 토우   스러스트

③ **스러스트** : 자동차의 진행선(스러스트 라인)의 결정에 직접 관계가 있는 매우 중요한

각이다(±4°이상이 되면 만족한 결과를 얻을 수 없다).

④ **총 토우** : 좌우의 개별 토우값의 합을 나타낸다. 개별 토우가 규격 이내이면 총 토우는 당연히 규격 이내로 된다. 총 토우의 1/2값이 개별 토우의 규격값이다.

> **TIP** ●● 후륜의 토우 변화는 현가장치의 형식에도 달려있으나 일반적으로 후륜이 독립 현가 방식일 경우에는 차량의 높이가 올라가면 후륜의 캠버와 토우가 모두 플러스 방향으로 이동하고, 반대로 차량의 높이가 내려가면 후륜의 캠버와 토우가 모두 마이너스 방향으로 이동한다. 따라서 휠 얼라인먼트를 점검할 때에는 먼저 차량의 높이가 바른지를 점검할 필요가 있다.

(7) 전륜 조정(캐스터 조정)

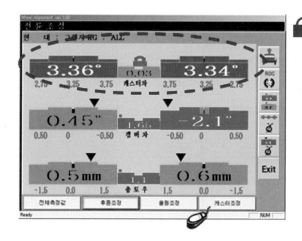

은 캐스터 잠금을 나타낸다. 캐스터 를 조정하려면 "캐스터 조정(F4 키)"를 누르고 작업하고 조정 작업 이 완료되면 반드시 "캐스터 조정 완료(F4 키)"를 누르고 센서를 수 평으로 한다.

캐스터 조정

(8) 캐스터 조정

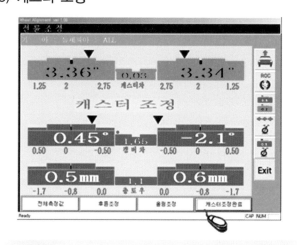

캐스터 값이 규격을 벗어나거나 좌우 차이가 0.5° 이상일 경우는 캐스터 값이 작은 쪽으로 차량의 쏠림 현상이 발생된다. 광폭 타이 어일수록 좌우 차이는 0°에 가 깝게 조정한다.

캐스터 검증

> **TIP** ●● 캐스터를 조정하였다면 "캐스터 검증" 버튼을 누르고 변화된 캐스터 값을 확인한다. 또한 특히 승용차는 캐스터를 조정할 수 없거나 조정 부위가 까다롭다. 쇽업소버의 변형 및 차체의 찌그러 짐, 차체의 높이 차이 등이 원인이 될 수 있으므로 충분한 차량의 점검이 필요하다.

(9) 전륜 조정

① 캠버 조정

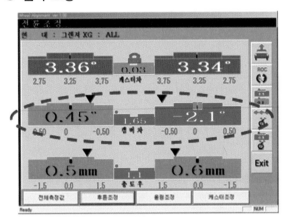

캠버값이 규격을 벗어나거나 좌우 차이가 0.5°이상일 경우에는 캠버값이 큰 쪽으로 차량의 쏠림 현상이 발생된다. 광폭 타이어일수록 좌우 차이는 0°에 가깝게 조정한다.

② 토우 조정

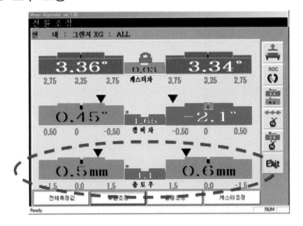

토우 조정시 반드시 좌·우 개별 토우를 조정하여 규격 이내로 한다.
개별 토우가 규격 이내이면 총 토우는 무조건 규격 이내에 위치하나 총 토우가 규격 이내라도 개별 토우는 규격을 벗어날 수 있다.

주의사항 ... **필요에 의해 센서를 탈거할 경우**

① 센서 케이블이 연결된 상태로 탈거한 후 다시 부착하면 측정값이 새로 나타난다. 재 부착에 따른 런 아웃이 의심되면 해당 센서의 센서 케이블을 빼었다가 다시 연결하고 ROC를 실시한다. 만약, 운전석 전륜 센서(FL)를 다시 연결하였을 때에는 운전석 전륜 센서와 운전석 후륜 센서를 ROC 하여야 한다.

② 센서 케이블을 빼고 탈거 후 다시 부착하면 센서는 작동하지 않는다. 만약 운전석 전륜 센서(FL)를 탈거 후 재 부착/연결하였을 경우에는 운전석 전륜 센서와 운전석 후륜 센서(RL)를 ROC 과정을 실시하여야 한다.

TIP .. 토우를 조정할 경우에는 반드시 조향 핸들을 직진 위치로 한 후 조향 핸들 클램프를 이용하여 고정한다.

248

(10) 올림 조정

캠버(또는 캐스터)를 조정할 때 등 차량을 들어 올려서 작업할 경우에 사용한다. 차량을 리프트의 상판에서 들어 올리면 모든 데이터가 변화한다. 이에 따라 "올림 조정"을 선택하고 리프트 상판에서 차량을 들어 올리면 모든 데이터가 변화 없이 유지된다. 올림 조정은 다음의 순서로 한다.

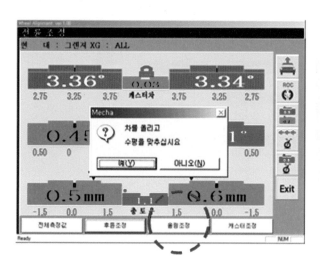

① "올림 조정" 버튼을 선택한다.
② 리프트를 이용하여 차량을 올린다.
③ "확인" 키를 누르고 조정 작업을 한다.
④ 조정 작업이 끝나면 차량을 내리고 센서를 수평으로 한 후 "올림 해제" 키를 누르고 조정한 데이터를 확인한다.

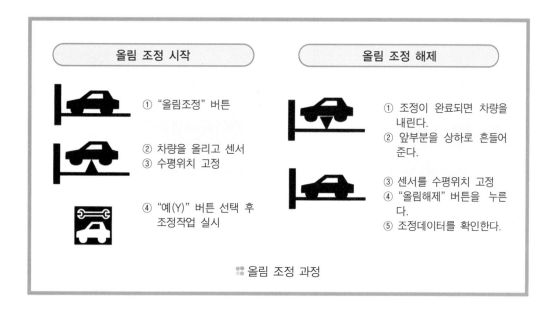

올림 조정 시작

① "올림조정" 버튼
② 차량을 올리고 센서
③ 수평위치 고정
④ "예(Y)" 버튼 선택 후 조정작업 실시

올림 조정 해제

① 조정이 완료되면 차량을 내린다.
② 앞부분을 상하로 흔들어 준다.
③ 센서를 수평위치 고정
④ "올림해제" 버튼을 누른다.
⑤ 조정데이터를 확인한다.

※ 올림 조정 과정

(11) 측정 값 (현재 값)

① **주요 데이터** : 최초의 측정 값 화면은 조정 전의 데이터이지만 지금의 데이터는 현재 값으로 표시된다.

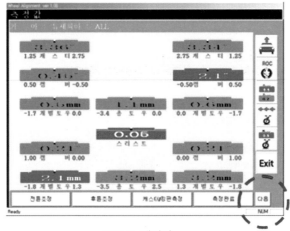

:: 주요 데이터

② **보조 데이터(옵셋)**

㉮ 윤거 차이 : 플러스(+) 값 쪽으로 크면 후륜(좌우)부분의 측면 충격이 의심되고, 마이너스(−)값 쪽으로 크면 전륜(좌우) 부분의 측면 충격을 의심할 수 있다. 이상적인 값은 차량에 따라서 기준 수치가 다르나 일반적으로 20mm 이내를 기준으로 하며, 정확한 수치는 차량 데이터를 참조한다.

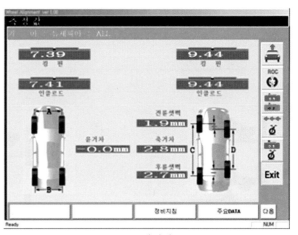

:: 보조 데이터

㉯ 축거 차이(휠 베이스 차이)−셋백 : 플러스(+) 값 쪽으로 크면 조수석(앞뒤)부분의 충격이 의심되고, 마이너스(−) 값 쪽으로 크면 운전석(앞뒤)부분의 충격을 의심할 수 있다. 이상적인 값은 0mm이다.

TIP •• 축거 및 윤거 차이가 크면 차량의 프레임이 손상되어 정해진 수치를 벗어났으므로 먼저 프레임을 규정값으로 복원시켜야 한다.

(12) 정비 지침

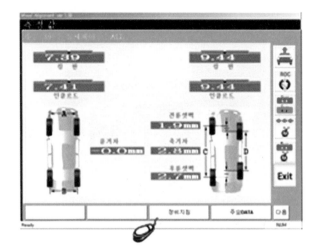

※ 윈도프로(Windo_pro)
   모델에서만 지원 가능

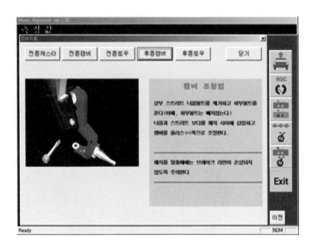

※ 상단의 원하는 항목을 클릭하
   면 현재 차량에 대한 정비과
   정을 동화상과 문자로 안내해
   준다.

°° 정비 지침

5. 각종 휠 얼라인먼트

❇ 벤츠 휠 얼라인먼트

❇ 호프만 휠 얼라인먼트

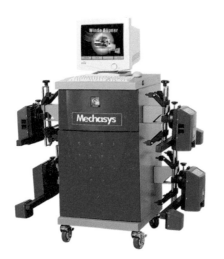

❇ 메카시스 휠 얼라인먼트

❇ 헤스본 휠 얼라인먼트

05 사이드 슬립 점검

동영상

1 사이드 슬립(Side Slip) 점검 방법

1. 사이드 슬립의 개요

사이드 슬립이란 앞바퀴 얼라인먼트(캠버, 캐스터, 조향축 경사각, 토인 등)의 불균형으로 인하여 주행 중 타이어가 옆 방향으로 미끄러지는 현상을 말하며, 토 인(toe-in)과 토 아웃(toe-out)으로 표시된다. 그러나 토인을 측정하였을 때 규정값이 나왔다고 할지라도 캠버 등이 불량하면 사이드 슬립이 발생한다. 따라서 토인 값과 사이드 슬립 값은 서로 다르다고 본다. 사이드 슬립량은 mm로 나타내는 것이 일반적이나 이것은 1m의 답판을 진행할 때의 사이드 슬립량을 표시하는 것이므로 정상적인 단위는 mm/m이다.

2. 사이드 슬립 측정 전 준비사항

① 타이어 공기 압력이 규정 압력인가(28~32psi)를 확인한다.
② 바퀴를 잭(jack)으로 들고 다음 사항을 점검한다.
  ㉮ 위·아래로 흔들어 허브 유격을 확인한다.
  ㉯ 좌·우로 흔들어 엔드 볼 및 링키지 확인한다.
③ 보닛을 위·아래로 눌러보아 현가 스프링의 피로를 점검한다.

3. 사이드 슬립 측정 방법

① 자동차는 공차 상태에 운전자 1인이 승차한 상태로 한다.
② 타이어 공기 압력은 표준 값으로 하고, 조향 링크의 각부를 점검한다.
③ 시험기는 사이드 슬립 테스터로 하고, 지시장치의 표시가 0점에 있는가를 확인한다.
④ 자동차를 측정기와 정면으로 대칭시킨다.
⑤ 측정기에 진입 속도는 5km/h로 한다.
⑥ 조향 핸들에서 손을 떼고 5km/h로 서행하면서 계기의 눈금을 타이어의 접지면이 시험기 답판을 통과 완료할 때 읽는다.
⑦ 옆 미끄러짐 양의 측정은 자동차가 1m주행할 때의 사이드 슬립량을 측정하는 것으로 한다.
⑧ 조향 바퀴의 사이드 슬립이 1m주행에 좌우 방향으로 각각 5mm 이내여야 한다.

■ 자동차관리법 시행규칙 제73조 관련

항목	검사기준	검사방법
조향 장치	① 조향륜 옆 미끄럼량은 1m 주행에 5mm 이내일 것. ② 조향계통의 변형 · 느슨함 및 누유가 없을 것. ③ 동력조향 작동유의 유량이 적정할 것	① 조향핸들에 힘을 가하지 아니한 상태 에 서 사이드슬립 측정기의 답판 위를 직진 할 때 조향 바퀴의 옆 미끄럼량을 사이드 슬립 측정기로 측정 ② 기어박스 · 로드 암 · 파워 실린더 · 너클 등의 설치상태 및 누유여부 확인 ③ 동력조향 작동유의 유량 확인

② 사이드 슬립(Side Slip) 테스터기 사용 방법

1. 아날로그 방식

① 구조

㉮ 전원 스위치 : 테스터기에 전원공급

㉯ 눈금판 : 사이드 슬립량을 나타내는 부분이다.

㉰ 답판 : 타이어가 지나가는 측정판이다.

㉱ 고정장치(LOCK) : 대게 답판 중앙 부분에 위치하며 답판을 고정하거나 풀어주는 기구이다.

㉲ 불합격 램프 : 사이드 슬립량이 1m 주행에 대하여 5mm이상 되면 램프가 점등된다.

㉳ 부저 : 불합격일 경우에 이 부저가 울린다.

㉴ 파일럿 램프 : 전원 스위치를 ON으로 하면 점등된다.

▩ 사이드 슬립 테스터

▩ 사이드 슬립 테스터 답판

② **사용 방법**

㉮ 전원 스위치를 On시킨다.

㉯ 게이지 눈금판에 지침을 0점으로 조정한다.

㉰ 답판 고정 레버를 풀고 답판을 좌·우로 움직여 부저 벨이 울리는지 확인한다.

㉱ 조향 핸들을 직진상태로 자동차를 3~5km/h 속도로 답판 위로 진입시킨다.

㉲ 이때 바로 지침 움직임의 지시값을 판독한다.

- 0~3mm(녹색) : 정상
- 3~5mm(황색) : 양호
- 5mm이상(적색) : 불량

㉳ 측정이 끝난 후 전원 스위치를 Off시킨다.

㉴ 답판의 고정 장치를 고정(LOCK)한다.

2. 디지털 방식(A.B.S COMBI)

❖ 사이드 슬립 테스터 모습

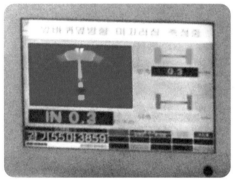

❖ 검사장의 사이드 슬립 테스터 모니터 화면

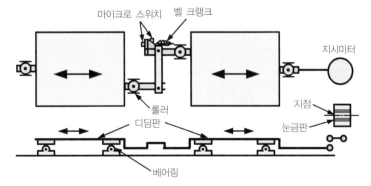

❖ 사이드 슬립 시험기의 내부 구조

① **사용 방법**

❖ ABS 테스터 본체 모습

❖ ABS 테스터 모니터와 스위치 버튼

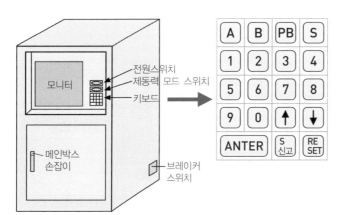

❖ ABS 테스터 전원 스위치와 보턴

❖ ABS 테스터 전원 스위치와 버튼

㉮ 브레이커 스위치를 On한다.(시험기의 메인 S/W이다.)

㉯ 컨트롤 박스의 전원 S/W를 On시키면 모니터가 작동된다.

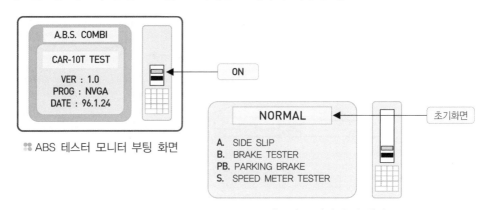

❖ ABS 테스터 모니터 부팅 화면

❖ ABS 테스터 모니터 초기 화면

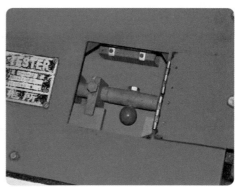

❖ 사이드 슬립 테스터 고정 레버 위치

㉕ 답판의 고정 장치를 풀고 움직이는지 옆으로 한 번 밀어 확인한다.

㉖ A버튼을 눌러 사이드 슬립 테스트를 선택한다.

㉗ 조향핸들을 직진상태로 차량을 3~5km/h 속도로 답판 위로 진입시킨다.

㉘ 이때 바로 판정이 나타남과 동시에 검사는 종료된다.

- 0~3mm(녹색) : 정상
- 3~5mm(황색) : 양호
- 5mm 이상(적색) : 불량

㉙ 측정이 끝난 후 전원 스위치를 Off시킨다.

㉚ 답판의 고정 장치를 고정(LOCK)한다.

❸ 사이드 슬립(Side Slip)의 조정 방법

타이로드 엔드 고정너트를 풀고 타이로드를 시계방향으로 회전시키면(타이로드가 엔드에 조립된 상태에서 본다) 볼트가 들어가는 방향이므로 타이로드의 길이가 작아져 바퀴의 앞쪽이 벌어져 토 아웃이 된다.

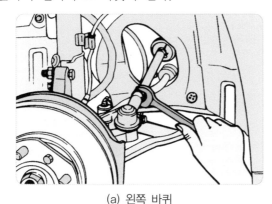
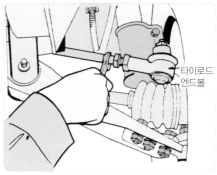

타이로드 엔드볼

(a) 왼쪽 바퀴　　　　　　　(b) 오른쪽 바퀴

❖ 타이로드 조정 방법

257

자동차마다 조정량은 다르지만 타이로드 1회전은 약 12mm 정도 조정되므로 양쪽으로 나누어서 조정한다. 예를 들면 12mm 토 아웃으로 조정하여야 한다면 왼쪽바퀴 6mm, 오른쪽바퀴 6mm이므로 타이로드를 시계방향으로 반 바퀴씩 조여 준다.

4 사이드 슬립(Side Slip)의 고장진단 방법

1. 사이드 슬립의 불량 원인

① 토우인, 캠버, 킹핀 경사각이 불량하다.
② 타이어의 공기압이 부적당하다.
③ 허브 베어링, 볼 조인트, 킹핀의 마모와 조향 링키지의 체결 상태 불량, 마멸이 있다.
④ 앞 차축의 휨 타이어의 고정 너트(볼트)의 조임이 불량하다.

2. 사이드 슬립이 틀릴 경우 현상

① 조향이 어렵다.
② 스티어링 휠의 복원 불량
③ 승차감의 불량
④ 비정상적인 타이어의 마모
⑤ 조향 핸들의 불안정
⑥ 차량이 한쪽으로 쏠린다.
⑦ 스티어링 휠이 떨린다.

제 9 장

제동장치

01 브레이크 패드 교환

① 브레이크 패드 교환 방법

동영상

1. 디스크 브레이크의 구성도

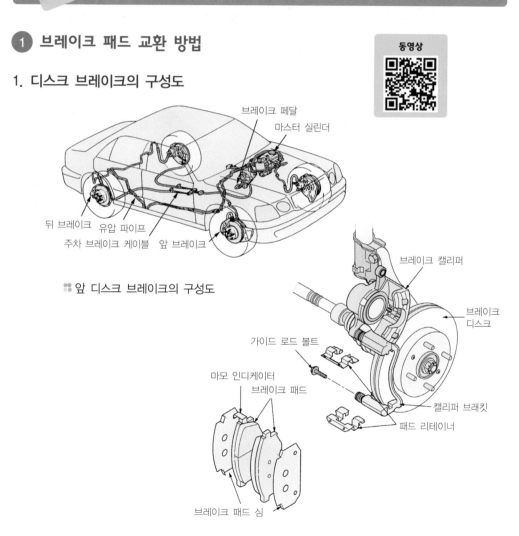

브레이크 페달

마스터 실린더

뒤 브레이크 유압 파이프

주차 브레이크 케이블 앞 브레이크

▓ 앞 디스크 브레이크의 구성도

브레이크 캘리퍼

브레이크
디스크

가이드 로드 볼트

마모 인디케이터

브레이크 패드

캘리퍼 브래킷

패드 리테이너

브레이크 패드 심

동영상

2. 탈거 방법

① 휠 및 타이어를 분리한다.

② 가이드 로드 볼트를 분리하고 캘리퍼 어셈블리를 들어 올린다.

❖ 휠 및 타이어 분리

❖ 가이드 로드 볼트 분리

가이드
로드 볼트

캘리퍼
어셈블리

❖ 가이드 로드 분리 후 캘리퍼 올림

❖ 캘리퍼를 들어 올린 모습

③ 들어 올린 캘리퍼 어셈블리를 철사를 이용
하여 지지한다. 이때 브레이크 호스는 분리
하지 않는다.

④ 캘리퍼 브래킷에서 패드 심, 패드 리테이너
와 패드 어셈블리를 분리한다. 이때 브레이
크 페달을 밟지 않도록 주의한다.

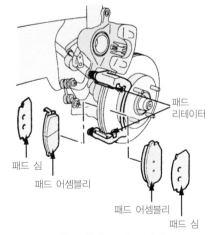

패드
리테이터

패드 심

패드 어셈블리

패드 어셈블리

패드 심

❖ 브레이크 패드 분리

260

❖ 브레이크 패드 분리

❖ 브레이크 패드 탈착

3. 조립 방법

① 패드 리테이너를 캘리퍼 브래킷에 장착한다.

② 패드 리테이너 위에 브레이크 패드 심 및 패드를 장착한다. 이때 패드 마모 인디케이터
   가 안쪽으로 향하도록 패드를 장착한다.

 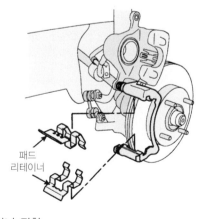

패드
리테이너

❖ 패드 리테이너 장착

261

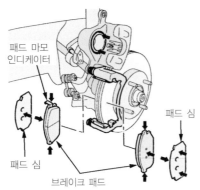

패드 마모
인디케이터

패드 심

패드 심

브레이크 패드

:: 브레이크 패드 장착

③ 피스톤 익스팬더(특수 공구)를 사용하여 피스톤을 압입한다.

④ 브레이크 실린더 어셈블리의 부트가 손상되지 않도록 주의하여 캘리퍼 어셈블리를 디
스크 플레이트에 끼운다.

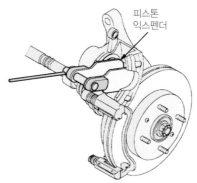

피스톤
익스펜더

:: 피스톤 설치 위치

:: 피스톤 압입

⑤ 가이드 로드를 장착하고 규정 토크로 조인다. 이때 조임 토크는 2.2∼3.2kgf·m이다.

⑥ 캘리퍼 어셈블리를 차량에서 탈착한 경우 브레이크 호스를 캘리퍼에 장착한다.

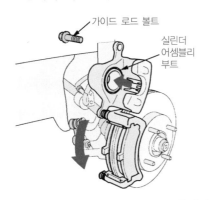

가이드 로드 볼트

실린더
어셈블리
부트

:: 캘리퍼 어셈블리 장착

② 브레이크 패드의 점검 방법

① 피스톤, 실린더의 마모, 손상, 균열, 녹을 점검한다.

② 슬리브와 핀의 손상, 녹을 점검한다.
브리더 캡을 제외한 모든 고무 부품은 신품으로 교환한다.

③ 패드 라이닝 두께를 점검하여 한계값 이하이면 교환한다.

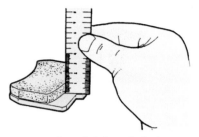

✂ 패드 라이닝 두께 측정

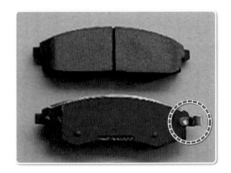

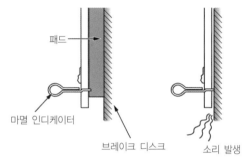

✂ 라이닝 마모 인디케이터

■ 차종별 규정값

차종		패드 두께		차종		패드 두께	
		기준값	한계값			기준값	한계값
I30 PD 1.4, 1.6	앞	11.5mm	2.0mm	K3 BD 1.6	앞	11.5mm	2.0mm
	뒤	10mm	2.0mm		뒤	9.0mm	2.0mm
I40 VF 1.7, 2.0	앞	11mm	2.0mm	K3 YD 1.6	앞	11mm	2.0mm
	뒤	10mm	2.0mm		뒤	10mm	2.0mm
벨로스터 JS 1.4, 1.6	앞	11.5mm	2.0mm	K5 JF 1.6, 17, 2.0 EPB 시스템	앞	10.5mm	2.0mm
	뒤	9.0mm	2.0mm		뒤	10mm	2.0mm
싼타페 TM 2.0, 2.2	앞	11mm	2.0mm	K7 YG 2.5	앞	11.5~13mm	2.0mm
	뒤	일반 10mm	2.0mm		뒤	10mm	2.0mm
쏘나타 YF 2.0	앞	11mm	2.0mm	모닝 TA 1.0	앞	11mm	2.0mm
	뒤	10mm	2.0mm		뒤	10mm	2.0mm
쏘나타 LF 1.7, 2.0 EPB 시스템	앞	10.5mm	2.0mm	모하비 HM 3.0	앞	10.5mm	2.0mm
	뒤	10.0mm	2.0mm		뒤	10mm	2.0mm
아반떼 MD	앞	11mm	2.0mm	스포티지 QL 2.0	앞	11mm	2.0mm
	뒤	10mm	2.0mm		뒤	10mm	2.0mm
엑센트 RB 1.4, 1.6	앞	11mm	2.0mm	프라이드 UB 1.4, 1.6	앞	11mm	2.0mm
	뒤	10mm	2.0mm		뒤	10mm	2.0mm

③ 각종 브레이크 패드 탈착기

❀ 각종 브레이크 패드 탈착기

④ 각종 차량 디스크 브레이크

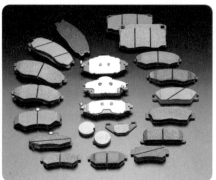

❀ 각종 브레이크 패드

02 디스크 마모량/흔들림 점검

1 브레이크 디스크의 마모량 점검 방법

브레이크 디스크 두께를 외측 마이크로미터 등으로 측정하여 한계값 이하이면 교환한다. 또한 디스크 면의 균열, 홈, 긁힘 등에 대하여 점검한다.

❖ 디스크의 두께 측정

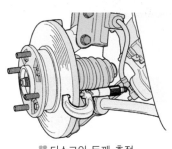

❖ 디스크의 두께 측정

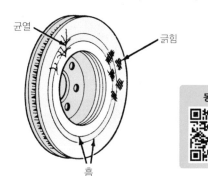

❖ 디스크의 점검

동영상

■ 차종별 규정값

차종		런아웃 한계값	디스크 마모량		차종		런아웃 한계값	디스크 마모량	
			기준값	한계값				기준값	한계값
I30 PD 1.4, 1.6	앞	0.040mm 이하	25mm	23.4mm	K3 BD 1.6	앞	0.040mm 이하	25mm	23.4mm
	뒤		10mm	8.4mm		뒤		10mm	8.4mm
I40 VF 1.7	앞	0.050mm 이하	28mm	26.4mm	K3 YD 1.6	앞	0.040mm 이하	23mm	21.4mm
	뒤		10mm	8.4mm		뒤		10mm	8.4mm
벨로스터 JS 1.4, 1.6	앞	0.04mm 이하	25mm	23.4mm	K5 JF 1.6, 17, 2.0 EPB 시스템	앞	0.04mm	28mm	26.4mm
	뒤		10mm	8.4mm		뒤	0.05mm	10mm	8.4mm
싼타페 TM 2.0, 2.2	앞	0.04mm 이하	28mm	26mm	K7 YG 2.5, 30	앞	0.04mm	28~30 mm	26.4~28.4 mm
	뒤		11mm	9.4mm		뒤	0.03mm	10mm	8.4mm
쏘나타 YF 2.0	앞	0.04mm	26mm	24.4mm	모닝 TA 1.0	앞	0.03mm 이하	18mm	16mm
	뒤	0.05mm	10mm	8.4mm		뒤		10mm	8.4mm
쏘나타 LF 1.7, 2.0 EPB 시스템	앞	0.04mm	28mm	26.4mm	모하비 HM 3.0	앞	0.03mm 이하	28mm	26mm
	뒤	0.05mm	10mm	8.4mm		뒤		13mm	11.4mm
아반떼 MD	앞	0.04mm 이하	23mm	21.4mm	스포티지 QL 2.0	앞	0.04mm	25mm	23.4mm
	뒤		10mm	8.4mm		뒤	0.03mm	10mm	8.4mm
엑센트 RB 1.4, 1.6	앞	0.04mm 이하	22mm	20mm	프라이드 UB 1.4, 1.6	앞	0.04mm 이하	22mm	20mm
	뒤		10mm	8.4mm		뒤		10mm	8.4mm

❷ 브레이크 디스크의 흔들림(Run Out) 점검 방법

브레이크 디스크의 런 아웃을 다이얼 게이지로 측정하여 한계값 이상이면 교환한다(허브 베어링을 점검할 것).

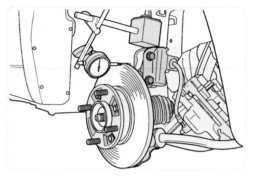

❉ 디스크 런아웃 측정

03 브레이크 페달 유격 / 작동거리 점검   동영상

❶ 브레이크 페달 자유간극 점검 방법

1. 자유간극이란

브레이크 페달을 손으로 눌러 1차 피스톤의 1차 컵이 리턴 포트를 막을 때까지 페달이 움직인 거리(양)를 말한다.

❷ 자유간극 측정법

① 엔진을 정지시킨 상태에서 브레이크 페달을 2~3번 밟아 하이드로백 내의 진공을 없앤 후 실시한다.

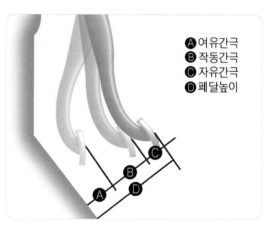

Ⓐ 여유간극
Ⓑ 작동간극
Ⓒ 자유간극
Ⓓ 페달높이

❉ 브레이크 페달 자유간극

② 페달 밑판 부위에 철자(30cm)와 분필을 이용하여 페달이 올라온 부분에 표시를 한 후 손바닥으로 페달을 눌러 저항(압력)이 느껴지는 점까지의 이동거리를 측정한다.

③ **조정 방법** : 로크 너트를 풀고 푸시로드를 돌려 유격을 조정한다.

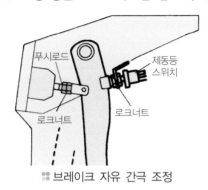

❖ 브레이크 자유 간극 조정

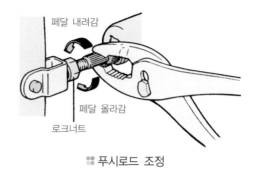

❖ 푸시로드 조정

③ 페달의 높이 점검 방법

① 페달을 놓고 바닥에서부터 페달까지의 높이를 말한다.

② **조정 방법**

㉮ 제동등 스위치 커넥터를 분리한다.

㉯ 제동등 스위치 로크 너트를 풀고 브레이크 스위치가 페달에 접촉되지 않을 때까지 푼다.

㉰ 푸시로드 로크 너트를 풀어준다.

㉱ 푸시로드를 조이거나 풀어서 페달 높이를 조정한 후 로크 너트를 체결한다.

㉲ 제동등 스위치를 돌려 스토퍼와의 간격이 0.5~1.0mm가 되도록 조정한 후 로크 너트를 체결한다.

㉳ 제동등 스위치의 커넥터를 연결한다.

㉴ 브레이크 페달을 작동시키면서 제동등 스위치의 작동 유무를 점검한다.

㉵ 엔진이 정지된 상태에서 2~3회 브레이크 페달을 밟아 부스터의 부압을 제거한 후 손으로 페달을 눌러 유격을 확인한다.

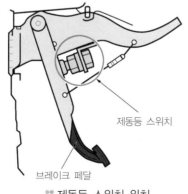

❖ 제동등 스위치 위치

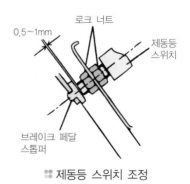

❖ 제동등 스위치 조정

④ 밑판 간극 측정방법

브레이크 페달을 약 50kgf·m의 힘으로 밟았을 때 브레이크 페달과 바닥 사이의 간극이다.

차종	브레이크 페달(mm)			차종	브레이크 페달(mm)		
	행정	높이	자유간극		행정	높이	자유간극
I30 PD 1.6	135	176	2~4	K3 BD 1.6	135	183	2.5
I30 PD 1.4	135	176	2~4	K3 YD 1.6	135	183	2~4
I40 VF 1.7	135	185	3~8	K5 JF 1.6	133		3~8
I40 VF 2.0	135	185	3~8	K5 JF 2.0	133		3~8
벨로스터 JS 1.4	135	176	2~4	K7 YG 2.5	133.4	168	
벨로스터 JS 1.6	135	176	2~4	K7 YG 3.0	133.4	168	
싼타페 TM 2.0	135	176	2~4	레이 TAM 1.0	91	148.6	2.5
싼타페 TM 2.2	134	176	2~4	모닝 TA 1.0	91	148.6	2.5
쏘나타 YF 2.0	135		3~8	모하비 HM 3.0	128	188	3~8
쏘나타 LF 2.0	135		3~8	스포티지 QL 1.6	130.5	168	3~8
쏘나타 LF 1.7	135		3~8	스포티지 QL 2.0	130.5	168	3~8
쏘나타 LF 1.6	135		3~8	쏘울 PS 1.6	129.4	165	2.5
아반떼 MD	135	181	2~4	쏘울 SK3 1.6	136.5~142.5	188	
엑센트 RB 1.6	108	173	2~4				
엑센트 RB 1.4	108	173	2~4	프라이드 UB 1.4	108	173	2~4

⑤ 브레이크의 작동 시험 방법

① 엔진을 시동하여 워밍업 시킨 후 정지한다.

② 브레이크 페달을 밟았다 놓았다하며, 밑판 간극을 점검한다.

③ 브레이크 페달을 2~3회 정도 밟았을 때 밑판 간극이 점점 높아지면 정상이다.

④ 브레이크 페달을 여러 번 밟았다 놓았다 한 후 페달을 밟은 상태로 엔진을 시동하였을 때 브레이크 페달이 내려가면 정상이다.

⑤ 밑판 간극이 작아지지 않을 때는 하이드로 백과 마스터 실린더를 점검하고 필요시에 교환한다.

[고장 원인 : 부스터 실 파손, 체크 밸브, 호스부의 누출]

04 브레이크 마스터 실린더 교환/공기빼기 작업

① 브레이크 마스터 실린더 교환 방법

동영상

1. 교환방법

① 에어 클리너 마운팅 볼트를 풀고 에어 클리너 보디를 탈거한다.

② 브레이크 오일 레벨 센서 커넥터를 분리하고 리저브 캡을 분리한다.

③ 세척기를 이용하여 리저브 탱크 내의 브레이크 오일을 빼낸다.

④ 마스터 실린더에서 브레이크 파이프를 분리하고 브레이크 오일을 용기에 배출시킨 후 브레이크 파이프를 플러그로 막는다.

아반떼 XD

세라토

K5 LPI

NF 쏘나타 LPI

마스터 실린더 설치 위치

⑤ 마스터 실린더 마운팅 너트와 와셔를 분리한 후 마스터 실린더를 떼어낸다.

⑥ 장착은 탈거의 역순에 의한다.

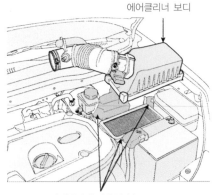

에어클리너 보디

에어클리너 마운팅 볼트

❖ 에어 클리너 보디 탈거

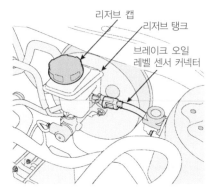

리저브 캡

리저브 탱크

브레이크 오일
레벨 센서 커넥터

❖ 오일 레벨 센서 커넥터 분리

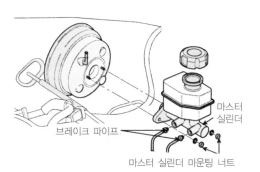

마스터
실린더

브레이크 파이프

마스터 실린더 마운팅 너트

❖ 브레이크 파이프 및 마스터 실린더 탈거

❖ 브레이크 마스터 실린더 탈거

2. 마스터 실린더의 구성부품

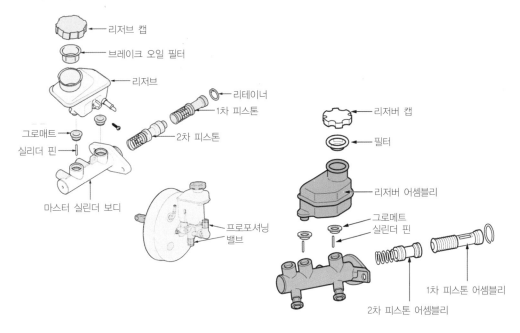

❖ 마스터 실린더 구성부품

3. 공기빼기 방법

① 오일 탱크 캡을 열고 브레이크 오일을 채운다.

❖ 마스터 실린더 오일 탱크 캡 탈거

❖ 마스터 실린더 브레이크 오일 보충

② 캘리퍼 또는 휠 실린더 블리더 스크루에 비닐 튜브를 연결하고 다른 끝은 브레이크 오일 용기에 담근다.

③ 브레이크 페달을 몇 번 밟았다가 놓았다가 한다.

④ 페달을 완전히 밟은 상태로 블리더 스크루를 브레이크 오일이 나올 때까지 푼다.

⑤ 페달을 밟고 있는 상태에서 블리더 스크루를 잠근다.

⑥ ③, ④, ⑤의 작업을 브레이크 오일에 기포(氣泡)가 없어질 때까지 반복한다.

⑦ 공기빼기 작업 순서는 아래 그림의 순서로 한다.

⑧ 공기빼기 작업이 완료되면 블리더 스크루를 규정의 토크로 조인다.

> **TIP** •• 1. 공기빼기 작업을 하는 동안 브레이크액이 규정높이가 되도록 자주 점검·조정 한다.
> 2. 브레이크 작동시험은 공기빼기 작업까지 완료한 후 브레이크를 밟은 상태에서 바퀴에 힌지 핸들을 끼워 힘껏 돌렸을 때 돌아가지 않아야 정상이다.

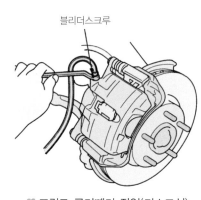

:: 프런트 공기빼기 작업(디스크식)

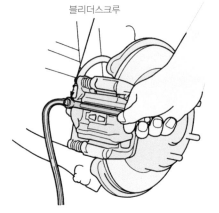

:: 리어 공기빼기 작업(디스크식)

:: 드럼식 공기 빼기 작업

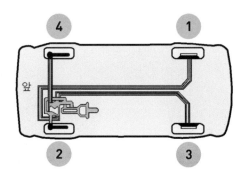

:: 공기 빼기 순서

05 브레이크 캘리퍼 교환

1 브레이크 캘리퍼 교환 방법

1. 브레이크 캘리퍼 탈거 방법

① 휠 및 타이어를 탈거한다.

② 패드를 분리한다. (9-1 참조)

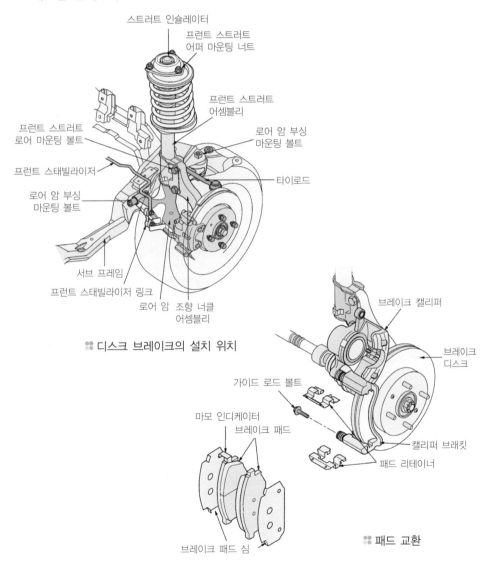

스트러트 인슐레이터

프런트 스트러트 어퍼 마운팅 너트

프런트 스트러트 어셈블리

프런트 스트러트 로어 마운팅 볼트

로어 암 부싱 마운팅 볼트

프런트 스태빌라이저

타이로드

로어 암 부싱 마운팅 볼트

서브 프레임

프런트 스태빌라이저 링크

로어 암 조향 너클 어셈블리

:: 디스크 브레이크의 설치 위치

브레이크 캘리퍼

브레이크 디스크

가이드 로드 볼트

마모 인디케이터

브레이크 패드

캘리퍼 브래킷

패드 리테이너

브레이크 패드 심

:: 패드 교환

`TIP` •• 1. 새 패드를 설치하기 위해서는 사용하던 패드가 마모된 양 만큼 캘리퍼의 피스톤이 나와 있
　　　　　기 때문에 피스톤을 밀어 넣어야 한다.
　　　　2. 그래서 분해하기 전에 패드를 좌, 우로 밀어서 캘리퍼 피스톤이 원래 위치로 한 다음 분해한다.
　　　　3. 아래 그림과 같이 특수 공구(Expender tool)를 이용한다.

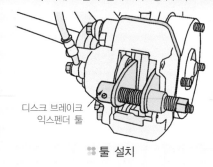

디스크 브레이크
익스펜더 툴

❖ 툴 설치

❖ 피스톤 밀어 넣음

② 캘리퍼에서 브레이크 호스를 분리한다.(호
　스를 분리하기 전에 바이스 플라이어 등으
　로 호스를 집어 오일의 누출을 방지한다)
③ 캘리퍼 마운팅 볼트를 탈거한다.
④ 캘리퍼 브래킷에서 캘리퍼와 패드를 탈거
　한다.
⑤ 너클에서 캘리퍼 마운팅 브래킷 볼트를 탈
　거한다.
⑥ 캘리퍼 브래킷을 탈거한다.
⑦ 조립은 분해의 역순이다.

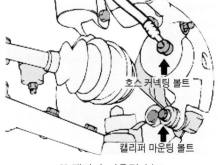

호스 커넥팅 볼트

캘리퍼 마운팅 볼트

❖ 캘리퍼 마운팅 볼트

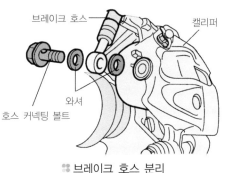

브레이크 호스　　　　　　캘리퍼

와셔

호스 커넥팅 볼트

❖ 브레이크 호스 분리

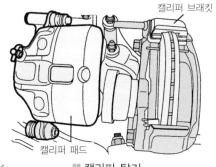

캘리퍼 브래킷

캘리퍼 패드

❖ 캘리퍼 탈거

와셔　　　　캘리퍼 브래킷

캘리퍼 브래킷 설치볼트

❖ 캘리퍼 브래킷 탈거

② 브레이크 캘리퍼의 분해 방법

1. 캘리퍼 분해

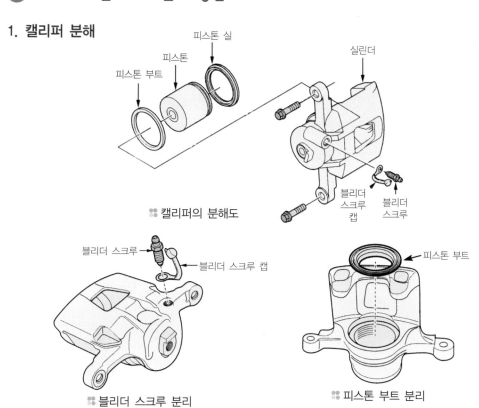

❖ 캘리퍼의 분해도

❖ 블리더 스크루 분리

❖ 피스톤 부트 분리

① 블리더 스크루 및 블리더 스크루 캡을 분리한다.
② 피스톤 부트를 분리한다.
③ 피스톤 앞에 나무토막을 대고 블리더 스크루 설치부에 압축공기를 이용하여 피스톤을 분리한다.
④ 피스톤 실을 분리한다.

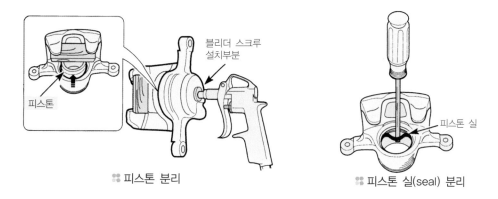

❖ 피스톤 분리

❖ 피스톤 실(seal) 분리

275

2. 캘리퍼 조립

① 조립은 분해의 역순이다.

② 패드와 심을 제외한 모든 부품은 알코올로 세척한다.

③ 피스톤 실에 고무 그리스(또는 피마자유)를 도포하고 실린더 내에 장착한다.

④ 피스톤 및 피스톤 부트를 다음과 같이 장착한다.

   ㉮ 실린더 내면, 피스톤 외측면 및 피스톤 부트에 고무 그리스를 도포한다.

   ㉯ 피스톤에 피스톤 부트를 장착한다.

   ㉰ 캘리퍼 내부 홈에 피스톤 부트를 끼우고 실린더 안으로 피스톤을 밀어 넣는다.

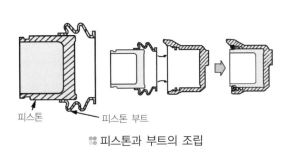

피스톤　　피스톤 부트

❂ 피스톤과 부트의 조립

❂ 피스톤 조립

⑤ 슬리브 및 핀의 외면, 캘리퍼 핀 및 슬리브 내면, 핀 및 슬리브 부트에 고무 그리스를 도포한다.

⑥ 캘리퍼의 홈 안으로 부트를 끼운다.

⑦ 패드를 조립한다.

⑧ 하부 볼트를 장착하고 규정의 토크로 죈다.

   (규정토크 : 2.2~3.2kgf·m)

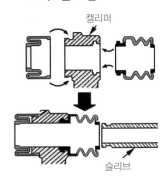

캘리퍼

슬리브

❂ 슬리브와 부트 조립

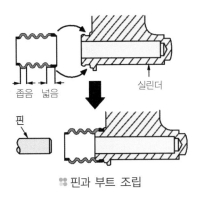

좁음 넓음　　실린더

핀

❂ 핀과 부트 조립

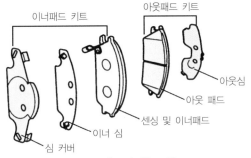

이너패드 키트　　아웃패드 키트

아웃심

아웃 패드

센싱 및 이너패드

이너 심

심 커버

❂ 패드와 심 조립

06 브레이크 라이닝(슈) 교환

① 브레이크 라이닝(슈) 교환 방법

동영상

1. 드럼 브레이크의 구성 부품

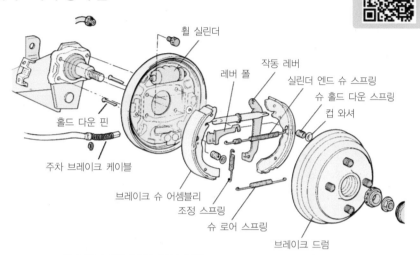

❖ 드럼 브레이크의 구성 부품

2. 브레이크 라이닝(슈) 분해

① 주차 브레이크를 해제한다.

② 바퀴를 분리한 후 브레이크 드럼을 탈거한다. 이때 브레이크 드럼을 빼내기 어려운 경우에는 드럼의 나사 홈에 볼트를 끼운 후 탈거한다.

③ 자동 조정 스프링 및 조정 레버를 탈거한다.

④ 컵 와셔, 슈 홀드 다운 스프링, 슈 홀드 다운 핀을 탈거한다.

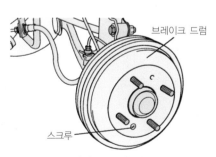

❖ 브레이크 드럼 탈거

❖ 브레이크 드럼 탈거 후 모습

277

:: 자동 조정 스프링 탈거

:: 자동 조정 레버 탈거

:: 컵 와셔, 슈 홀드다운 스프링, 슈 홀드다운 핀 탈거

⑤ 브레이크 슈를 벌리고 슈 어저스터 탈거한다.

⑥ 브레이크 슈 스프링과 실린더 엔드 슈 스프링을 탈거하고 주차 브레이크 케이블을 작동 레버에서 분리한다.

⑦ 조립은 분해의 역순으로 한다.

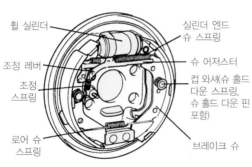

휠 실린더

조정 레버

조정 스프링

로어 슈 스프링

실린더 엔드 슈 스프링

슈 어저스터

컵 와셔(슈 홀드 다운 스프링, 슈 홀드 다운 핀 포함)

브레이크 슈

:: 브레이크 슈 어저스터 탈거

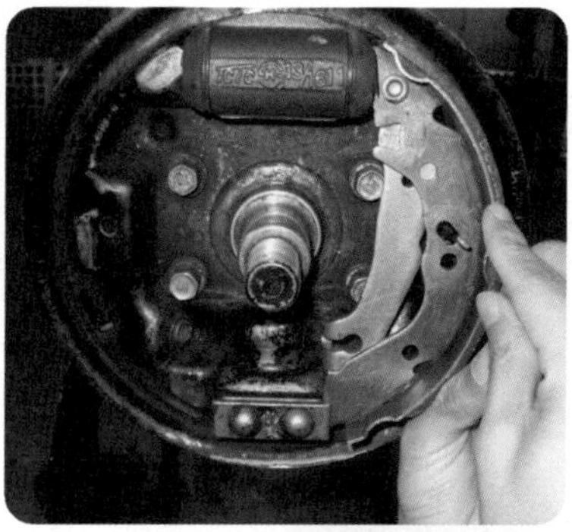

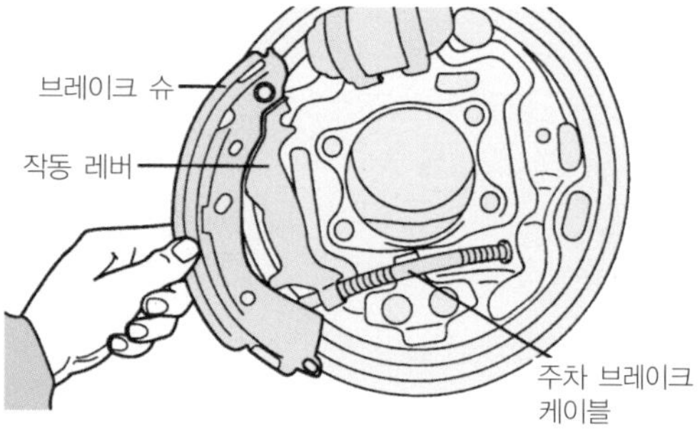

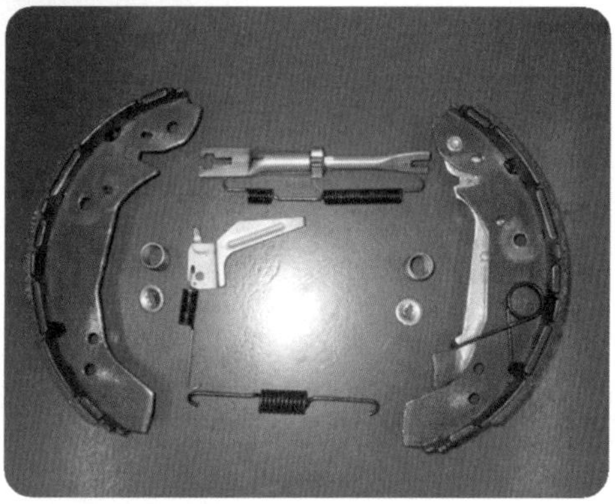

:: 브레이크 슈 탈거 :: 분해 후 정돈된 브레이크 부품

3. 브레이크 라이닝 조립 방법

① 휠 실린더를 장착하고 파이프를 연결한다.

② 슈 아래 접촉부와 마찰 부분에 그리스를 도포한다.(바르는 정도로 도포)

③ 주차 레버에 케이블을 연결한다.

④ 슈 홀드 다운 스프링을 장착한다.(슈의 방향에 주의)

⑤ 2개의 슈를 슈 연결 스프링으로 연결한다.

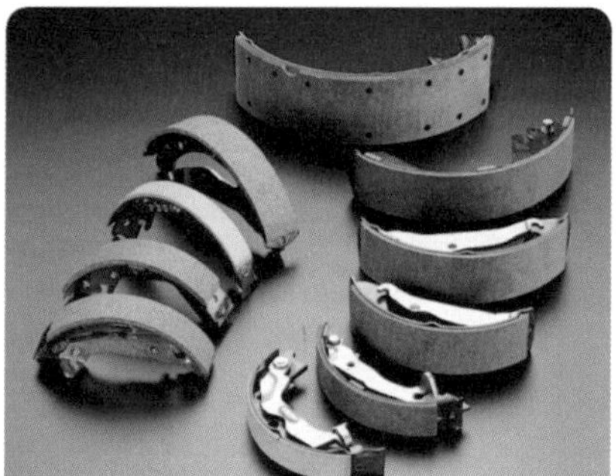

:: 브레이크 라이닝의 종류

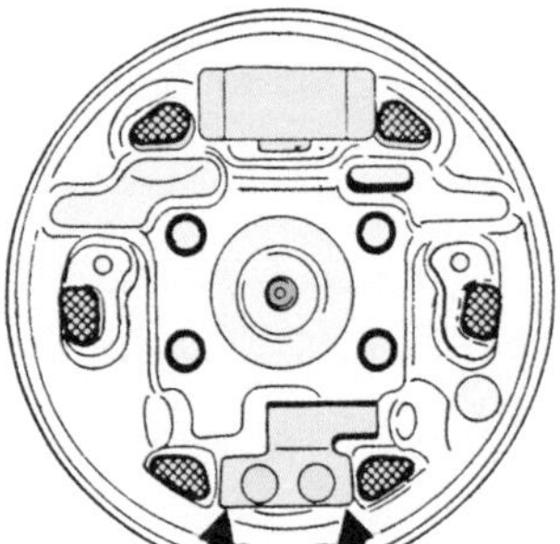

:: 그리스 도포 부분

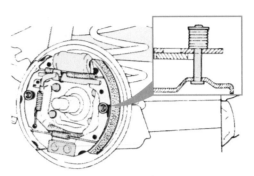

❈ 슈 홀드 다운 스프링의 장착

⑥ 슈와 주차 레버 상부 홈에 방향을 맞추어 조정 스트러트 어셈블리를 장착한다.

❈ 브레이크 슈 연결 스프링 설치

❈ 조정 스트러트 어셈블리 장착

⑦ 자동 조정 레버와 스프링을 장착한다. 이때 자동 조정 간극 나사는 최소로 한다.(드럼 조립시에 드럼의 내경보다 설치된 드럼의 외경을 작게 하여 조립을 쉽게 하기 위함이다)
⑧ 드럼을 조립하고 주차 브레이크 레버를 완전히 위쪽으로 몇 번 당긴다.

❈ 조립이 완료된 모습

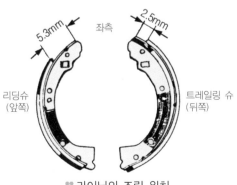

❈ 라이닝의 조립 위치

② 브레이크 작동 시험 방법

브레이크 작동시험은 브레이크를 밟은 상태에서 바퀴에 힌지 핸들을 끼워 힘껏 돌렸을 때 돌아가지 않아야 정상이다.

> **TIP** ●● 현장에서는 라이닝 교환 후 차를 전, 후진하면서 브레이크를 작동시켜 라이닝 간극 조정 및 이상 유무를 확인한다. 라이닝 간극은 반드시 후진하면서 브레이크를 밟아야지만 조정 된다.

07 브레이크 휠 실린더 교환

① 브레이크 휠 실린더의 교환 방법

1. 브레이크 휠 실린더 탈거 방법

① 주차 브레이크를 해제한다.

② 바퀴를 분리한 후 브레이크 드럼을 탈거한다. 이때 브레이크 드럼을 빼내기 어려운 경 우에는 드럼의 나사 홈에 볼트를 끼운 후 탈거한다.

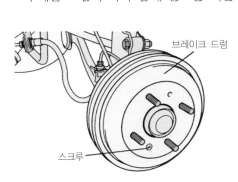
브레이크 드럼
스크루

✂ 브레이크 드럼 탈거

✂ 브레이크 드럼이 탈거된 모습

281

③ 자동 조정 스프링 및 조정 레버를 탈
거한다.

④ 컵 와셔, 슈 홀드 다운 스프링, 슈 홀
드 다운 핀을 탈거한다.

⑤ 브레이크 슈를 벌리고 슈 어저스터
탈거한다.

⑥ 브레이크 슈 스프링과 실린더 엔드
슈 스프링을 탈거하고 주차 브레이크
케이블을 작동 레버에서 분리한다.

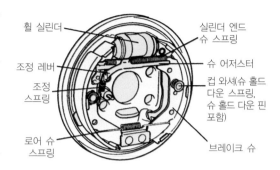

브레이크 슈 어저스터 탈거

⑦ 배킹 플레이트의 주차 브레이크 케이블 클립을 분리한다.

⑧ 휠 실린더로부터 브레이크 라인을 분리한다.

⑨ 배킹 플레이트와 함께 휠 실린더 어셈블리를 분리한다.

※ 조립은 분해의 역순으로 한다.

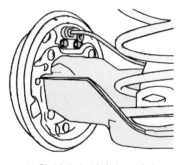

휠 실린더 설치볼트 탈거

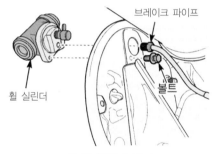

휠 실린더 탈거

② 휠 실린더 분해 방법

① 더스트 부트를 탈거한다.

② 피스톤을 탈거한다.

③ 피스톤 컵을 탈거한다.

④ 확장 스프링 어셈블리를 탈거
한다.

⑤ 블리더 스크루를 탈거한다.

⑥ 휠 실린더를 조립하기 전에 다
음 사항을 점검해야 한다.

㉮ 실린더와 피스톤의 마모,
손상, 녹을 점검한다.

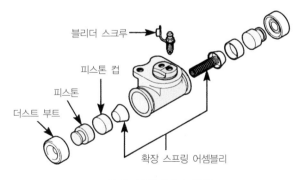

휠 실린더의 구성품

ⓝ 실린더 보디의 손상 및 균열을 점검한다.

ⓓ 피스톤의 접촉면과 슈의 마모를 점검한다.

ⓡ 피스톤 스프링의 풀림을 점검한다.

⑦ 조립은 분해의 역순으로 작업한다.

3 브레이크 회로 공기 빼기 방법

① 오일탱크 캡을 열고 브레이크 오일이 부족하면 보충한다.

② 휠 실린더 블리더 스크루에 비닐 호스를 연결하고 그 호스의 다른 끝은 브레이크 오일
이 담긴 용기에 집어넣는다.

마스터 실린더 설치 위치

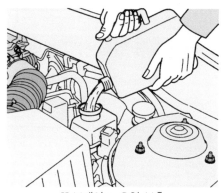

브레이크 오일 보충

③ 2인 1조로 작업을 하며 보조자가 브레이크 페달을 몇 번 밟았다가 놓는다.

④ 페달을 완전히 밟은 채로 블리더 스크루를 브레이크 오일이 빠져나올 때까지 푼다. 그
다음 블리더 스크루를 잠근다.

⑤ ③과 ④의 작업을 오일에 기포가 없어질 때까지 반복한다.

⑥ 블리더 플러그 스크루를 조인다.

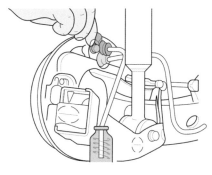

공기 빼기 호스 연결

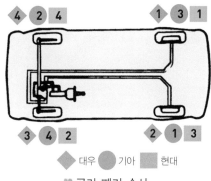

공기 빼기 순서

④ 브레이크 작동 시험 방법

브레이크 작동시험은 브레이크를 밟은 상태에서 바퀴에 힌지 핸들을 끼워 힘껏 돌렸을 때 돌아가지 않아야 정상이다.

> **TIP** •• 현장에서는 라이닝 교환 후 차를 전, 후진하면서 브레이크를 작동시켜 라이닝 간극 조정 및 이상 유무를 확인한다. 라이닝 간극은 반드시 후진하면서 브레이크를 밟아야지만 조정 된다.

08 ABS 톤 휠 간극 점검

① ABS 톤 휠 간극 점검 방법

① 시크니스 게이지를 이용하여 휠 스피드 센서와 톤 휠 사이의 간극을 점검한다. 간극이 규정값 내에 있지 않으면 톤 휠(로터)의 설치가 부정확하게 된 것이므로 재점검한다.

동영상

휠 스피드 센서와 톤 휠 사이 간극	규정값
프런트	0.3~0.9mm
리어	0.2~0.7mm

:: 프런트 휠 스피드 센서 설치 위치

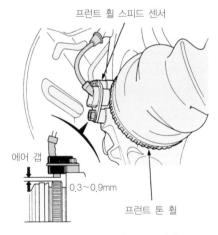

프런트 휠 스피드 센서

에어 갭

0.3~0.9mm

프런트 톤 휠

:: 프런트 톤 휠 간극 점검

284

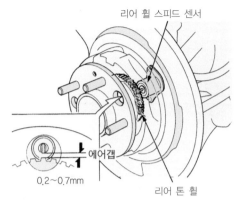

리어 톤 휠 스피드 센서

에어갭

0.2~0.7mm

리어 톤 휠

⁂ 리어 톤 휠 간극(에어 갭) 점검

⁂ 리어 휠 스피드 센서 설치 위치

■ 차종별 톤 휠 간극 규정값

차종	규정값		차종	규정값	
	프런트	리어		프런트	리어
I30 PD 1.6	0.4~1.0mm	0.4~1.0mm	K3 BD 1.6	0.4~1.0mm	0.4~1.0mm
I30 PD 1.4	0.4~1.0mm	0.4~1.0mm	K3 YD 1.6	0.4~1.0mm	0.4~1.0mm
I40 VF 1.7	0.4~1.5mm	0.4~1.0mm	K5 JF 1.6	0.4~1.2mm	0.4~1.0mm
I40 VF 2.0	0.4~1.5mm	0.4~1.0mm	K5 JF 2.0	0.4~1.2mm	0.4~1.0mm
벨로스터 JS 1.4	0.4~1.0mm	0.4~1.0mm	K7 YG 2.5	1.4~1.5mm	1.4~1.5mm
벨로스터 JS 1.6	0.4~1.0mm	0.4~1.0mm	K7 YG 3.0	0.4~1.5mm	0.4~1.5mm
싼타페 TM 2.0	0.4~1.0mm	0.4~1.0mm	레이 TAM 1.0	0.4~1.0mm	0.4~1.0mm
싼타페 TM 2.2	0.4~1.0mm	0.4~1.0mm	모닝 TA 1.0	0.4~1.0mm	0.4~1.0mm
쏘나타 YF 2.0	0.4~1.2mm	0.4~1.0mm	모하비 HM 3.0	0.5~1.5mm	0.5~1.5mm
쏘나타 LF 2.0	0.4~1.2mm	0.4~1.0mm	스포티지 QL 1.6	0.4~1.5mm	0.4~1.5mm
쏘나타 LF 1.7	0.4~1.2mm	0.4~1.0mm	스포티지 QL 2.0	0.4~1.5mm	0.4~1.5mm
쏘나타 LF 1.6	0.4~1.2mm	0.4~1.0mm	쏘울 PS 1.6	0.4~1.0mm	0.4~1.0mm
아반떼 MD	0.4~1.0mm	0.4~1.0mm	쏘울 SK3 1.6	0.4~1.0mm	0.4~1.0mm
엑센트 RB 1.6	0.4~1.0mm	0.4~1.0mm	프라이드 UB 1.4	0.4~1.0mm	0.4~1.0mm
엑센트 RB 1.4	0.4~1.0mm	0.4~1.0mm			

❷ ABS 휠 스피드 센서 저항/ 출력 전압 측정 방법

① 휠 스피드 센서 터미널 사이의 저항을 측정한다.

동영상

항목	규정값
저항	프런트 (1.4~2.2kΩ) 리 어 (1.3~2.1kΩ)

② 출력 전압을 점검한다.

㉮ 바퀴를 들어 올리고 주차브레이크를 해제시킨 다음 센서 커넥터를 분리하고 회로 테스터나 오실로스코프를 연결한다.

㉯ 바퀴를 초당 1 / 2~1회전시키면서 측정한다.

항목	규정값	
출력 전압	회로 테스터 측정시	오실로스코프 측정시
	70mV이상	20mV / pp이상

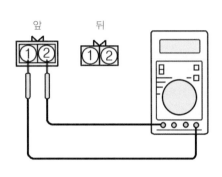
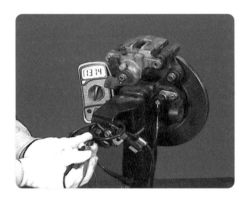

㉰ 출력 전압이 규정값보다 작을 경우는 휠 스피드 센서와 톤 휠의 간극이 클 경우나 센서가 고장이므로 조정하거나 교환한다.

■ **차종별 규정값**(현대)

차종	톤 휠 간극(mm)		차종	톤 휠 간극(mm)	
	프런트	리어		프런트	리어
쏘나타	0.2~1.3	0.2~1.2	투스카니	0.2~0.9	
쏘나타Ⅱ	–	0.2~0.7	EF 쏘나타	0.2~1.1	
그랜저	0.3~0.9		그랜저 XG	0.2~1.1	
베르나	0.2~1.2		에쿠스	0.2~1.15	0.2~0.7
라비타	0.2~1.2		트라제 XG	0.3~0.9	0.2~0.7
아반떼 XD	0.2~0.9		싼타페	0.3~0.9	
카렌스	0.7~1.5	0.6~1.6	테라칸	0.2~1.15	0.2~0.7

286

ABS 자기진단

동영상

1 ABS 시스템 자기진단 점검 방법

1. ABS 경고등 점검 방법

엔진시동 후 ABS 경고등은 3초 동안 점등 되었다가 점멸되며 엔진 시동 후 즉시 경고등이 점등되지 않거나 3초 후에도 점등이 계속되는 경우에는 고장이다. ABS는 차량속도가 10km/h 이내일 때 ABS가 작동되면서 자기진단을 한다. 즉 솔레노이드 밸브와 펌프 모터가 아주 짧은 시간동안 'ON' 되어 ABS 기능을 점검한다.

ABS 경고등

시동 후 3초간 점등

2. 자기 진단 방법

① 엔진의 시동을 정지시킨다.
② 진단기(스캐너)를 퓨즈 박스에 있는 테스터 링크 커넥터에 연결한다.
③ 진단기의 전원 커넥터 배선을 시거라이터 소켓에 연결한다.

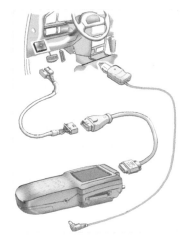

자기진단 시험기 설치

하이스캔 본체의 키보드

287

④ 엔진을 시동한다.

⑤ 점화 스위치를 ON시킨 후 하이스캔의 ON/OFF 버튼을 0.5초 동안 누른다(OFF시킬 때는 약 2초간 누른다).

⑥ 잠시 후 하이스캔 기본 로고, 소프트웨어 카탈로그가 화면에 나타난다.

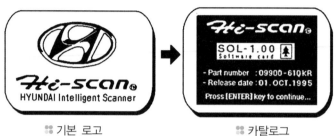

❖ 기본 로고   ❖ 카탈로그

⑦ 로고 화면에서 [Enter↵]를 누른 후 아래 순서에 맞추어서 측정한다.

㉮ 제조 회사를 선택한다.

㉯ 차종선택 메뉴에서 차종을 선택한다.

㉰ 사양선택 메뉴에서 사양을 선택(연식 및 배기량)한다.

㉱ 제어장치 선택 메뉴에서 제어장치를 선택(제동제어)한다.

기능 선택
01. 차종별 진단 기능
02. CARB OBD-Ⅱ 진단기능
03. 주행 데이터 검색기능
04. 공구상자
05. 하이스캔 사용환경
06. 응용 진단기능

❖ 기능 선택

1. 차종별진단기능
01. 현대 자동차
02. 대우 자동차
03. 기아 자동차
04. 쌍용 자동차

❖ 제작회사 선택

0. 차종별진단기능	
01. 엑센트	95-96년식
02. 엑 셀	90-94년식
03. 스쿠프	91-95년식
04. 아반떼	96 년식
05. 엘라트라	92-95년식
06. 쏘나타Ⅱ	94-96년식
07. 쏘나타	89-93년식
08. 마르샤	96 년식

❖ 아반떼 선택

1. 차종별진단기능
차종 : 아반떼 96년식
01. 엔진제어 DOHC
02. 자동 변속
03. 제동 제어
04. 에어 백
05. 정속 주행

❖ 자동제어 선택

288

⑩ 기능선택 메뉴에서 기능 선택

ㄱ 자기진단을 선택하여 자기진단 후 고장항목 표시

ㄴ 고장항목을 확인한 후 전(前)단계 화면으로 복귀(ESC나 취소 버튼) → 기능 선택 메뉴 선택시 화면

ㄷ 서비스 데이터(=센서 출력값) 항목에서 센서의 출력값을 확인한다.

ㄹ 센서의 출력값을 확인한 후 기준값(표준값)을 확인(카닉스 : F6 버튼, 하이스캔 프로 : F4 버튼)한다.

ㅁ 출력값과 규정값을 비교한 후 데이터가 서로 다를 경우 센서 위치로 커서를 이동시켜 해당 센서의 상태를 확인(커넥터 탈거, 단선 등)한다.

ㅂ 고장내용 분석(출력값과 규정값 비교 판정)

1. 차종별진단기능

차종 : 아반떼 96년식
사양 : 엔진 제어 DOHC

01. 무연 1.5
02. 유연 1.6/1.8
03. 무연 1.6/1.8
04. 무연 1.6/1.8

무연 1500cc선택

1. 차종별진단기능

차종 : 아반떼 96년식
사양 : 엔진제어 DOHC
　　　무연 1.5

01. 자기 진단
02. 센서 출력
03. 주행 검사
04. 액추에이터 검사
05. 센서 출력 & 시뮬레이션

자기진단 선택

1.1 자기진단

자기진단 결과 정상입니다.

고장항목갯수 : 0개
TIPS ERAS

정상일 때

1.1 자기진단

다음과 같은 항목이 불량으로 예상되오니 점검 바랍니다.
밸브릴레이 이상

고장항목갯수 : 1개
TIPS ERAS

불량일 때

3. 자기 진단 항목

① FL 솔레노이드(단락, 단선) : ON, OFF → KEY ON시
② FR 솔레노이드(단락, 단선) : ON, OFF → KEY ON시
③ RL 솔레노이드(단락, 단선) : ON, OFF → KEY ON시
④ RR 솔레노이드(단락, 단선) : ON, OFF → KEY ON시
⑤ FL 휠 속도 센서(단락, 단선) : KPH → 최소기준 2KPH

⑥ FR 휠 속도 센서(단락, 단선) : KPH → 최소기준 2KPH

⑦ RL 휠 속도 센서(단락, 단선) : KPH → 최소기준 2KPH

⑧ RR 휠 속도 센서(단락, 단선) : KPH → 최소기준 2KPH

⑨ 모터 릴레이 단락, 단선 → KEY ON시

⑩ FAIL SAFE 릴레이 단락, 단선 → KEY ON시

⑪ 모터 펌프 단선, 단락 : ON, OFF → KEY ON시

⑫ ABS 경고등

⑬ 축전지 전압

⑭ 정지등 스위치

2 ABS 시스템 자기진단 고장 진단과 원인

고장 진단	예상원인
• 휠 스피드 센서 단선 또는 단락(HECU는 휠 스피드 센서들의 1개의 선 이상에서 단선 또는 단락이 발생한다는 것을 결정 한다.)	① 휠 스피드 센서 고장 ② 와이어링 하니스 또는 커넥터 고장 ③ HECU의 고장
• 휠 스피드 센서 고장(휠 스피드 센서가 비정상 신호 또는 아무 신호가 없음을 출력한다.)	① 휠 스피드 센서의 부적절한 장착 ② 휠 스피드 센서의 고장 ③ 로터의 고장 ④ 와이어링 하니스 또는 커넥터의 고장 ⑤ HECU의 고장
• 에어 갭 과다(휠 스피드 센서에서 출력 신호가 없다.)	① 휠 스피드 센서 고장 ② 로터 고장 ③ 와이어링 하니스 커넥터의 부적절한 장착 ④ HECU의 고장
• HECU 전원 공급 전압 규정범위 초과(HECU 전원 공급 전압이 규정값 보다 아래이거나 초과된다. 만약 전압이 규정값으로 되돌아가면 이 코드는 더 이상 출력되지 않는다.	① 와이어링 하니스 또는 커넥터의 고장 ② ABSCM의 고장
• HECU 에러(HECU는 항상 솔레노이드 밸브 구동 회로를 감시하여 HECU가 솔레노이드를 켜도 전류가 솔레노이드에 흐르지 않거나 그와 반대의 경우일 때 솔레노이드 코일이나 하니스에 단락 또는 단선이라고 결정한다.)	① HECU의 고장 → HECU를 교환한다.

고장 진단	예상원인
• 밸브 릴레이 고장 (점화 스위치를 ON으로 돌릴 때 HECU는 밸브 릴레이를 OFF로, 초기 점검시에는 ON으로 전환한다. 그와 같은 방법으로 ABSCM은 밸브 전원 모니터선에 전압과 함께 밸브 릴레이에 보내진 신호들을 비교한다. 그것이 밸브 릴레이 가 정상으로 작동하는지 점검하는 방법이다. HECU는 밸브 전원 모니터선에 전류가 흐르는지도 항상 점검한다. 그것은 전류가 흐르지 않을때 단선이라고 결정한다. 밸브 전원 모니터선에 전류가 흐르지 않으면 이 진단 코드가 출력된다.)	① 밸브 릴레이 고장 ② 와이어링 하니스 또는 커넥터의 고장 ③ HECU의 고장
• 모터 펌프 고장(모터 전원이 정상이지만 모터 모니터에 신호가 입력되지 않을 때, 모터 전원이 잘못됐을 때)	① 와이어링 하니스 또는 커넥터의 고장 ② HECU의 고장 ③ 하이드로닉 유닛의 고장

10 휠 스피드 센서 출력 파형 점검

1 Hi-Scan Pro를 이용한 측정 방법

1. 테스터 연결 방법

① 점화 스위치를 OFF시킨다.

② 진단기의 오실로 스코프 테스터기 리드선을 연결 단자 A또는 B에 연결한다.

③ 차 실내에서 점검할 경우에는 담배 라이터를 빼내고 테스터의 전원을 연결하고, 외부에서 점검할 경우에는 배터리의 ⊕단자 기둥과 ⊖단자 기둥에 연결한다.

❖ Hi-Scan 본체

❖ 채널 선택 위치

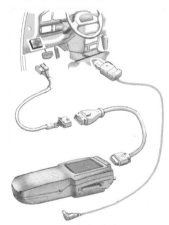

❖ 배선 연결

2. 측정 순서

① 점화 스위치를 ON으로 하고 하이스캔의 ON/OFF 스위치를 0.5초 동안 누른다.

② 잠시 후 하이스캔 기본 로고와 소프트웨어 카탈로그가 화면에 나타난다.

③ 로고 화면에서 엔터([Enter↵]) 버튼을 누른 다음 아래 순서에 맞추어서 측정한다.

④ 기능 선택에서 공구 상자를 선택하고 오실로스코프를 선택한 후 HOLD, TIME, VOLT, CHNL, GRID, MORE 등을 선택하여 정확한 측정값을 얻는다.

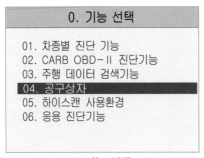

　　 ⁛ 기능 선택　　　　　　　　　　　　　　**⁛ 공구상자 선택**

⑤ **축전지(BATT) 백업 전원** : 배터리 전압을 나타낸다.

⑥ **브레이크 스위치(제동할 때)** : 제동 스위치에 배터리 전압이 가해지므로 전압은 배터리 전압이다.

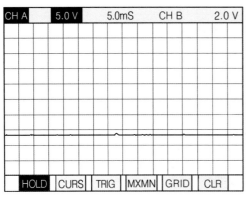

⁛ 축전지 백업 전원

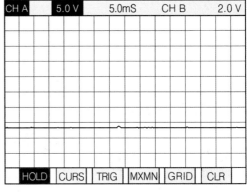

⁛ 브레이크 스위치(제동할 때)

⑦ 브레이크 스위치(비 제동 상태일 때) : 제동 스위치에 배터리 전압이 없으므로 0V 이다.

⑧ 이그니션 ON일 때(IGN +) : 배터리 전압이 나타난다.

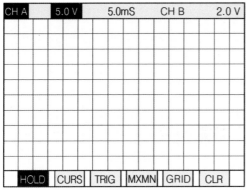

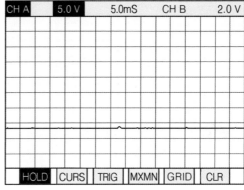

❖ 브레이크 스위치(비 제동 상태일 때)   ❖ 이그니션 ON일 때

⑨ ECU 커넥터를 탈거할 때 및 ABS 시스템에 이상이 있을 때

⑩ ABS 시스템이 정상일 때

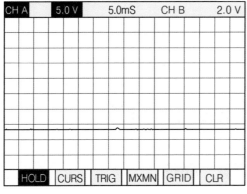

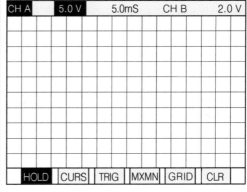

❖ ECU커넥터를 탈거할 때 ABS 시스템에 이상이 있을 때   ❖ ABS 시스템이 정상일 때

⑪ ECU 커넥터를 탈거할 때 및 EBD 시스템에 이상이 있을 때

⑫ EBD 시스템이 정상일 때

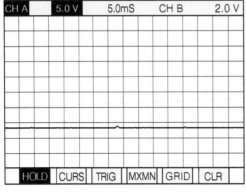

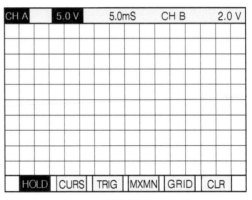

:: ECU 커넥터를 탈거할 때, EBD 시스템에 이상이 있을 때   :: EBD 시스템이 정상일 때

⑬ ABS 시스템은 고장/EBD 시스템은 정상일 때

⑭ ABS ECU 정지 상태

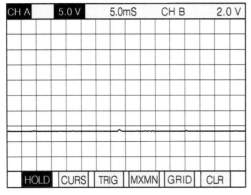

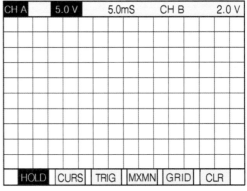

:: ABS 시스템은 고장/EBD 시스템은 정상일 때   :: ABS ECU 정지 상태

⑮ 휠 스피드 센서 정상 파형(20km/h)

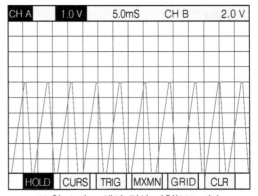

:: 휠 스피드 센서 정상 파형(20km/h)

⑯ 휠 스피드 센서 정상 파형(50km/h)

⑰ 휠 스피드 센서 최소 P/P 전압 파형(20km/h ; 틈새가 과다할 때)

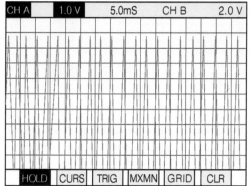

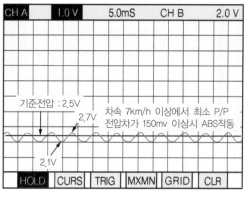

기준전압 : 2.5V

2.7V

차속 7km/h 이상에서 최소 P/P
전압차가 150mv 이상시 ABS작동

2.1V

❖ 휠 스피드 센서 정상 파형(50km/h)   ❖ 휠 스피드 센서 최소 P/P 전압 파형

❷ Hi-DS를 이용한 측정 방법

1. 테스터 리드 연결 방법

① **배터리 전원선** : 붉은색을 (+), 검은색을 (−)에 연결한다.

② **오실로스코프 프로브** : 컬러 프로브를 휠 스피드 센서 출력 단자, 흑색 프로브를 차체
에 접지한다.

2. 측정 순서

① 엔진을 워밍업시킨 후 공회전시킨다.

② Hi-DS 초기 화면에서 차종을 선택하여 차량 제원을 설정한 후 확인 버튼을 누른다.

③ 오실로스코프 항목을 선택한다.

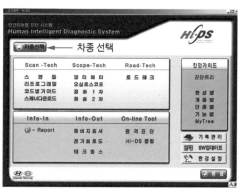

❖ 초기 화면   ❖ 차종 선택 화면

고객 정보 입력 화면

오실로스코프 선택 화면

④ 환경 설정 버튼 ⬛을 눌러 측정 제원을 설정한다(UNI, 10V, DC 시간축 : 1.0~
1.5ms, 일반선택). 모니터 하단의 채널 선택을 휠 스피드 센서의 출력 단자에 연결한
채널 선으로 선택한다.

⑤ 차량을 가·감속을 하면서 휠 속도를 확인한다. 차량을 리프트에 올린 후 바퀴를 손으
로 돌린다.

⑥ 각 바퀴의 휠 속도를 확인한다.

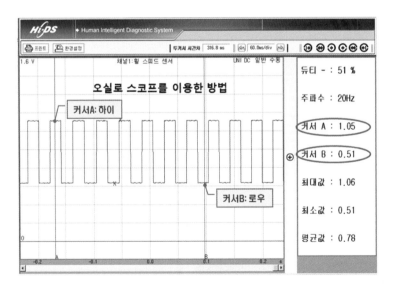

10 제동력 점검

1 제동력 시험 전 준비사항

① 시험기 본체의 댐퍼 오일의 유량을 점검한다. (부족하면 스핀들유를 보충한다.)

② 롤러에 오일이나 흙이 묻어 있으면 깨끗이 닦아낸다.

③ 리프트를 작동시키는 공기 압축기의 공기 압력이 7~10kgf/cm² 정도인가를 확인한다.

④ 점검 자동차의 타이어 공기 압력이 규정값인지를 확인하고, 타이어 트레드의 이 물질을 제거한 후 마모 상태를 점검한다.

⑤ 점검 자동차는 공차 상태에서 운전자 1인이 승차하여 시험한다.

⑥ 시험기의 미터(METER)스위치를 ON으로 한 후 파일럿 램프의 점등을 확인한다. 이때 지침이 0을 지시하는지를 확인한다. 만약 지침이 0을 지시하지 않은 경우에는 그 오차값을 기억하여 둔다.

2 아날로그 방식 제동력 시험 방법

동영상

1. 시험기의 구성

:: 제동력 테스터 미터판

:: 밸브 스위치

① **눈금판** : 0~3000kgf 까지의 눈금이 있으며, 좌우 제동력을 표시하는 지침이 있다.

② **미터(METER) 스위치** : 시험기에 전원을 공급하거나 차단하는 스위치이다.

③ **모터(MOTOR) 스위치** : 롤러를 구동하거나 정지시키는 스위치이다.

④ **파일럿 램프** : 미터(METER)와 모터(MOTOR) 스위치 작동을 표시하는 램프이다.

⑤ **롤러** : 모터(MOTOR) 스위치를 ON시키면 회전하며, 제동력이 측정되는 원통형의 회전체이다.

⑥ **리프트** : 상하로 움직이며, 밸브 스위치에 의하여 작동되며, 차량을 진입 또는 이탈시킬 때 리프트를 상승시키고 제동력을 측정할 때에는 하강시킨다.

⑦ **밸브 스위치** : 압축 공기를 리프트에 공급하거나 차단하는 밸브로서 리프트를 상승시킬 때 사용한다. 리프트를 하강시킬 때에는 스위치를 DOWN 위치로, 상승시킬 때에는 UP으로 위치시킨다.

:: 롤러와 리프트

2. 시험 방법

① 밸브 스위치를 UP 위치로 하여 리프트를 상승시킨 후 자동차를 천천히 진입시켜 측정바퀴가 리프트의 중앙에 오도록 위치시킨다.

② 변속기의 변속 레버를 중립 위치로 하고, 엔진은 시동된 상태로 둔다.

③ 밸브 스위치를 DOWN 위치로 하여 리프트를 하강시킨다.

④ 모터(MOTOR)스위치를 ON으로 한다. 이때 파일럿 램프가 점등됨과 동시에 롤러가 정상적으로 회전하는지를 확인한다.

⑤ 브레이크 페달을 천천히 최대로 밟는다.

⑥ 눈금판의 지침이 최대의 제동력을 표시할 때 미터(METER) 스위치를 OFF시킨다. 이때 눈금판의 지침이 지시한 값에서 정지하고, 롤러도 정지한다.

⑦ 지침이 눈금판에 지시한 값을 좌(L), 우(R) 별도로 읽고 기록한다.

⑧ 모터 스위치를 OFF시킨다.

⑨ 밸브 스위치를 UP 위치로 하여 리프트를 상승시키고 자동차를 시험기에서 빼낸다.

③ 디지털 방식 - ABS COMBI

1. 시험기의 구성

① **브레이커 스위치** : ABS 콤비에 들어가는 전원 연결 및 차단을 한다.
② **전원 스위치** : 측정기기의 작동 스위치
③ **제동력 모드 스위치** : 수동, 자동을 선택하는 스위치
  ㉮ A 모드 : 측정값만 표시
  ㉯ B 모드 : 측정값을 규정값과 비교하여 합격, 불합격 및 백분율 계산

동영상

동영상

❖ ABS 테스터 모니터

❖ ABS 테스터 컨트롤 박스

❖ ABS 테스터 본체

④ ⟦ A ⟧ : Side slip test 버튼
⑤ ⟦ B ⟧ : Brake test 버튼
⑥ ⟦ PB ⟧ : Park brake test 버튼
⑦ ⟦ S ⟧ : Speed meter tester 버튼
⑧ ⟦ 1 ⟧ ~ ⟦ 0 ⟧ : 축중을 입력하기 위한 숫자 스위치 버튼
⑨ ⟦RESET⟧ : 이전 단계로 가기 위한 스위치 버튼
⑩ ⟦S신고⟧ : 측정을 정지하기 위한 스위치 버튼

⑪ 〔 ↑ 〕 : 커서의 상 방향으로 이동 버튼

⑫ 〔 ↓ 〕 : 커서의 하 방향으로 이동 버튼

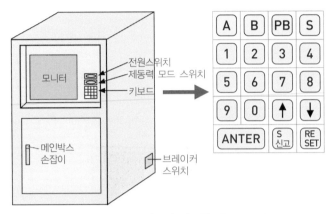

✼ ABS 테스터 컨트롤 박스

2. 제동력 A모드 측정 방법

✼ 제동력 테스트 준비 완료 상태의 모습

✼ 제동력 테스트 준비 완료 상태의 모습

① 컨트롤 박스의 우측 하단에 있는 브레이커 스위치를 On시킨 후 앞 패널에 있는 전원
스위치를 On시킨다. 동절기에는 브레이커 스위치를 On시킨 후 10분간 대기한 후에
앞 패널에 있는 전원 스위치를 On시킨다.

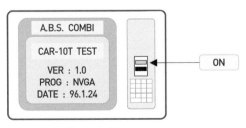

✼ 전원 스위치 ON

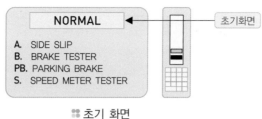

❖ 초기 화면

② 모니터에 초기 화면이 표시될 때까지 워밍업을 한다. 워밍업이 종료된 후 곧바로 제동력 또는 속도계를 시험하려면 RESET 버튼을 눌러 리셋한 후 검사 항목을 선택하여야 한다. 사이드 슬립 검사 후 브레이크 및 속도계를 검사할 경우에는 RESET 버튼을 누른 후 검사 항목을 선택하여야 한다.

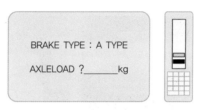

❖ 제동 모드 A 선정

③ 제동력 모드 스위치를 A로 선택한 후 축중을 입력시킨다.

■ 차종별 축중 기준값(kgf)

차 종	전축중	후축중	차 종	전축중	후축중
엑셀(1.3)	565	360	로얄 프린스(2.0)	680	560
엑셀(1.5A/T)	608	382	콩코드	700	450
엘란트라(1.5)	639	425	프라이드	470	260
소나타(1.8)	643	582	코란도	715	725
그랜저(3.0)	940	580	그레이스(9)	890	675

④ 키 보드의 B 버튼 또는 PB 버튼을 누른다.
   ㉮ B 버튼 : 주 제동력 테스트
   ㉯ PB 버튼 : 주차 제동력 테스트

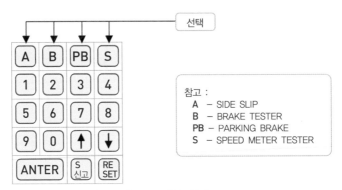

선택

A	B	PB	S
1	2	3	4
5	6	7	8
9	0	↑	↓
ANTER	S 신고	RE SET

참고 :
A – SIDE SLIP
B – BRAKE TESTER
PB – PARKING BRAKE
S – SPEED METER TESTER

❖ B 또는 PB 버튼 선택

⑤ 검사할 자동차를 제동력 측정기 답판 위에 진입시킨다.

❖ 제동력 측정기 답판 위에 진입한 모습

❖ 제동력 측정기 리프트가 하강한 모습

⑥ 키보드를 사용하여 차량의 축중을 입력하고 [Enter↵] 버튼을 누른다. [Enter↵] 버튼을 누르면 리프트는 하강하고 3초 후에 롤러가 회전한다.

BRAKE TYPE : A TYPE

AXLELOAD ? _2500_ kg

❖ 축중 입력

⑦ 리프트가 하강하고 롤러가 구동되면 브레이크 페달을 밟는다. 이때 모니터에는 그래프로 지시되어 판정된다. 이때 왼쪽 화면에는 제동력의 합을 나타내고, 오른쪽 화면에는

제동력의 차이를 kgf으로 나타낸다. 또한 오른쪽 화면에 "-L"또는 "-R"을 나타내면 좌, 우 부족을 나타낸 것이다.

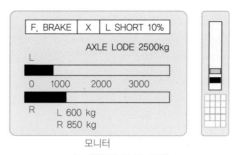

:: 제동력 측정 화면

⑧ 테스트가 완료되면 RESET 버튼을 누른다. 이때 롤러의 회전이 정지되고 리프트가 상승된다. 또한 모니터에는 초기화면이 나타난다.

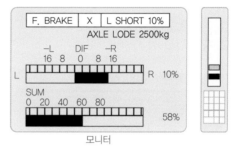

:: 제동력 B 모드 측정

TIP ●● 1. 워밍업이 종료된 후 곧바로 제동력 또는 속도계를 시험하려면 RESET 버튼을 눌러 리셋한 후 검사 항목을 선택하여야 한다.
2. 사이드슬립 검사 후 브레이크 및 속도계를 검사할 경우에는 RESET 버튼을 누른 후 검사 항목을 선택하여야 한다.
3. 제동력 시험시 제동력 A모드 또는 B모드 선택의 경우에도 RESET 버튼을 눌러 리셋시킨 후 선택하여야 한다.

3. 제동력 B모드 측정 방법

모드 측정 방법에서 모드 스위치를 B로 선택한다. 나머지 작동 방식은 A모드와 같고 화면에는 합격(○), 불합격(×) 표 및 제동력의 차가 백분율(%)로 나타난다.

④ 제동력 판정 방법

1. 제동력 판정 공식

① 제동력의 총합 = $\dfrac{\text{앞·뒤, 좌·우 제동력의 합}}{\text{차량 중량}} \times 100 =$ **50%** 이상 되어야 합격

② 앞바퀴 제동력의 총합 = $\dfrac{\text{앞, 좌·우 제동력의 합}}{\text{앞축중}} \times 100 =$ **50%** 이상 되어야 합격

③ 뒷바퀴 제동력의 총합 = $\dfrac{\text{뒤, 좌·우 제동력의 합}}{\text{뒤축중}} \times 100 =$ **20%** 이상 되어야 합격

④ 좌우 제동력의 편차 = $\dfrac{\text{큰쪽 제동력−작은쪽 제동력}}{\text{당해 축중}} \times 100 =$ **8%** 이내면 합격

⑤ 주차 브레이크 제동력 = $\dfrac{\text{뒤, 좌·우 제동력의 합}}{\text{차량 중량}} \times 100 =$ **20%** 이상 되어야 합격

■ 차종별 중량 기준값(현대)

항목 ＼ 차종	AVANTE	AVANTE	i 30	i 30	i 30	i 30	VERACRUZ	VERACRUZ	VERACRUZ	VERACRUZ
	1.6 VVT	1.6 VVT	1.6 VGT	1.6 VGT	1.6 VVT	1.6 VVT	2.0 VVT	2.0 VVT	3.0 (2WD)	3.0 (4WD)	3.8 (2WD)	3.8 (4WD)
배기량(CC)	1,591	1,591	1,582	1,582	1,591	1,591	1,975	1,975	2,959	2,959	3,778	3,778
공차중량(kg)	1,173	1,191	1,321	1,328	1,227	1,247	1,290	1,305	2,030	2,112	1,970	2,110
변속방식	M/T 5	A/T 4	M/T 5	A/T 4	M/T 5	A/T 4	M/T 5	A/T 4	A/T 6	A/T 6	A/T 6	A/T 6
연비(km/L)	15.8	15.2	20.5	16.5	16.0	15.2	13.3	12.4	11.0	10.7	8.5	8.1
에너지 등급	1	1	1	1	1	1	2	3	3	3	4	5

■ 차종별 축중 기준값(기아)

항목 ＼ 차종	CERATO							
	1.6 CVVT(4)	1.6 VGT(4)	2.0 CVVT (4)	2.0 D(4)	1.6 CVVT(5)	1.6 VGT(5)	2.0 CVVT (5)	2.0 D(5)
배기량(CC)	1,591	1,591	1,582	1,582	1,975	1,975	1,591	1,591	1,582	1,582	1,975	1,975
공차중량(kg)	1,189	1,214	1,265	1,330	1,285	1,259	1,215	1,240	1,295	1,305	1,300	1,300
변속방식	M/T 5	A/T 4	M/T 5	A/T 4	A/T4	M/T	M/T 5	A/T 4	M/T 5	A/T 4	A/T 4	M/T 5
연비(km/L)	15.1	13.2	20.7	16.0	12.0	13.5	15.1	13.2	16.0	13.5	12.0	13.5
에너지 등급	1	2	1	1	3	2	1	2	1	1	3	1

■ 차종별 중량 기준값(kg)

항목	프라이드(Pride)											
	1.4 D(가) 4도어		1.4 D(가) 5도어		1.6 CVVT 4도어		1.6 CVVT 5도어		1.5 (디) 4도어		1.5 (디) 5도어	
배기량(CC)	1,399	1,399	1,399	1,399	1,599	1,599	1,599	1,599	1,493	1,493	1,493	1,493
공차중량(kg)	1,077	1,099	1,080	1,102	1,079	1,101	1,847	1,124	1,135	1,145	1,160	1,170
변속방식	M/T	A/T	M/T	A/T	M/T	A/T	M/T	A/T	M/T	A/T	M/T	A/T
연비(km/L)	15.4	13.1	15.4	13.1	14.7	13.0	14.7	13.0	20.5	16.9	20.5	16.9
에너지 등급	2	3	2	3	2	3	2	3	1	1	1	1

항목	투싼(Tucson)				싼타페(Santafe)				
	2.0 VGT 2WD(디젤)		2.0 VGT(4WD)	2.0 VVT(가)	2.0 VGT(2WD)	2.2 VGT (2WD)		2.2 VGT(4WD)	
배기량(CC)	1,991	1,991	1,991	1,975	1,991	2,188	2,188	2,188	2,188
공차중량(kg)	1,615	1,635	1,710	1,520	1,847	1,817	1,847	1,907	1,941
변속방식	M/T 6	A/T 4	M/T 6	A/T 4	A/T 5	M/T 5	A/T 5	M/T 5	A/T 5
연비(km/L)	15.2	12.6	14.3	9.8	12.6	14.4	12.5	14.0	11.7
에너지 등급	1	2	1	4	2	1	1	1	2

사단법인
한국과학기술출판협회 회원사
Korea Science & Technology Publishers Association

기술검토연구원

고재수 〔現〕 신성대학교
김기성 〔現〕 동서울대학교
변영호 〔現〕 여주대학교
성기룡 〔現〕 용인송담대학교

그린자동차실기 [섀시편]

초판발행 | 2017년 1월 20일
발 행 | 2022년 9월 1일

지 은 이 | GB기획센터
발 행 인 | 김 길 현
발 행 처 | 〔주〕 골든벨
등 록 | 제 1987—000018호 ⓒ 2017 Golden Bell
I S B N | 979-11-5806-209-5
가 격 | 24,000원

이 책을 만든 사람들

교 정 및 교 열 | 이상호   본 문 디 자 인 | 조경미, 엄해정, 남동우
제 작 진 행 | 최병석   웹 매 니 지 먼 트 | 안재명, 서수진, 김경희
오 프 마 케 팅 | 우병춘, 이대권, 이강연   공 급 관 리 | 오민석, 정복순, 김봉식
회 계 관 리 | 김경아

㉾ 04316 서울특별시 용산구 245〔원효로1가 53-1〕 골든벨빌딩 5~6F
● TEL : 도서 주문 및 발송 02-713-4135 / 회계 경리 02-713-4137
      내용 관련 문의 02-713-7452 / 해외 오퍼 및 광고 02-713-7453
● FAX : 02-718-5510   ● http : // www.gbbook.co.kr   ● E-mail : 7134135@ naver.com